Haus und Umgebung in Buckow seien »ordentlich genug«, um wieder im Horaz zu lesen, notiert Brecht nach dem Erwerb seines »bukolischen« Landsitzes in der Märkischen Schweiz. Als er im Sommer 1953 sehr schnell die *Elegien* niederschreibt, die von den Ereignissen des 17. Juni ausgelöst wurden, begleitet ihn die Horazlektüre fortwährend. Der Name »Horaz« markiert jedoch keinen Rückzug, keine Flucht vor der Gegenwart, vielmehr benennt er eine in der – modernen deutschen – Lyrik einzigartige Synthese von klassischer Antike und politischer Gegenwart. Die *Buckower Elegien*, lange Zeit nur als lyrische Stellungnahmen zur Politik eingeschätzt, erhalten vor ihrem antiken Hintergrund klassische Einfachheit und »Naivität«. Jan Knopfs Kommentare, orientiert an Walter Benjamins Muster, liefern die erste Gesamtdeutung des Zyklus, und zwar Gedicht für Gedicht in Einzelanalysen, deren Gesamtheit ein komplexes Bild Brechtscher Alterslyrik ergibt. Zugleich stellt der Band die erste vollständige und nach Brechts Plänen geordnete kritische Ausgabe der *Buckower Elegien* dar.

Bertolt Brechts
Buckower Elegien

Mit Kommentaren von
Jan Knopf

Suhrkamp

Die Texte aus dem vierten Band der »Gesammelten Werke« bzw. dem zweiten Supplementband »Gedichte aus dem Nachlaß« wurden für diese Ausgabe mit den Originalen verglichen und revidiert.

edition suhrkamp 1397
Neue Folge Band 397
Erste Auflage 1986
Bertolt Brecht: Buckower Elegien
© Copyright by Stefan S. Brecht 1964
Alle Rechte vorbehalten durch
Suhrkamp Verlag Frankfurt am Main.
Jan Knopf: Zu den »Buckower Elegien«
© Suhrkamp Verlag, Frankfurt am Main 1986
Erstausgabe
Alle Rechte vorbehalten, insbesondere das der Übersetzung,
des öffentlichen Vortrags
sowie der Übertragung durch Rundfunk und Fernsehen,
auch einzelner Teile.
Satz: Stahringer, Ebsdorfergrund
Druck: Nomos Verlagsgesellschaft, Baden-Baden
Umschlagentwurf: Willy Fleckhaus
Printed in Germany

3 4 5 6 7 – 00 99 98

Bertolt Brecht
Buckower Elegien

Ginge da ein Wind
Könnte ich ein Segel stellen.
Wäre da kein Segel
Machte ich eines aus Stecken und Plane.

Der Radwechsel

Ich sitze am Straßenhang.
Der Fahrer wechselt das Rad.
Ich bin nicht gern, wo ich herkomme.
Ich bin nicht gern, wo ich hinfahre.
Warum sehe ich den Radwechsel
Mit Ungeduld?

Der Blumengarten

Am See, tief zwischen Tann und Silberpappel
Beschirmt von Mauer und Gesträuch ein Garten
So weise angelegt mit monatlichen Blumen
Daß er vom März bis zum Oktober blüht.

Hier, in der Früh, nicht allzu häufig, sitz ich
Und wünsche mir, auch ich mög allezeit
In den verschiedenen Wettern, guten, schlechten
Dies oder jenes Angenehme zeigen.

Die Lösung

Nach dem Aufstand des 17. Juni
Ließ der Sekretär des Schriftstellerverbands
In der Stalinallee Flugblätter verteilen
Auf denen zu lesen war, daß das Volk
Das Vertrauen der Regierung verscherzt habe
Und es nur durch verdoppelte Arbeit
Zurückerobern könne. Wäre es da
Nicht doch einfacher, die Regierung
Löste das Volk auf und
Wählte ein anderes?

Böser Morgen

Die Silberpappel, eine ortsbekannte Schönheit
Heut eine alte Vettel. Der See
Eine Lache Abwaschwasser, nicht rühren!
Die Fuchsien unter dem Löwenmaul billig und eitel.
Warum?
Heut nacht im Traum sah ich Finger, auf mich deutend
Wie auf einen Aussätzigen. Sie waren zerarbeitet und
Sie waren gebrochen.

Unwissende! schrie ich
Schuldbewußt.

Die Musen

Wenn der Eiserne sie prügelt
Singen die Musen lauter.
Aus gebläuten Augen
Himmeln sie ihn hündisch an.
Der Hintern zuckt vor Schmerz
Die Scham vor Begierde.

Gewohnheiten

Die Teller werden hart hingestellt
Daß die Suppe überschwappt.
Mit schriller Stimme
Ertönt das Kommando: Zum Essen!

Der preußische Adler
Den Jungen hackt er
Das Futter in die Mäulchen.

Heißer Tag

Heißer Tag. Auf den Knieen die Schreibmappe
Sitze ich im Pavillon. Ein grüner Kahn
Kommt durch die Weide in Sicht. Im Heck
Eine dicke Nonne, dick gekleidet. Vor ihr
Ein ältlicher Mensch im Schwimmanzug,
      wahrscheinlich ein Priester.
An der Ruderbank, aus vollen Kräften rudernd
Ein Kind. Wie in alten Zeiten! denke ich
Wie in alten Zeiten!

Die neue Mundart

Als sie einst mit ihren Weibern über Zwiebeln sprachen
Die Läden waren wieder einmal leer
Verstanden sie noch die Seufzer, die Flüche, die Witze
Mit denen das unerträgliche Leben
In der Tiefe dennoch gelebt wird.
Jetzt
Herrschen sie und sprechen eine neue Mundart
Nur ihnen selber verständlich, das Kaderwelsch
Welche mit drohender und belehrender Stimme
                              gesprochen wird
Und die Läden füllt – ohne Zwiebeln.

Dem, der Kaderwelsch hört
Vergeht das Essen.
Dem, der es spricht
Vergeht das Hören.

Große Zeit, vertan

Ich habe gewußt, daß Städte gebaut wurden
Ich bin nicht hingefahren.
Das gehört in die Statistik, dachte ich
Nicht in die Geschichte.

Was sind schon Städte, gebaut
Ohne die Weisheit des Volkes?

Eisen

Im Traum heute Nacht
Sah ich einen großen Sturm.
Ins Baugerüst griff er
Den Bauschragen riß er
Den Eisernen, abwärts.
Doch was da aus Holz war
Bog sich und blieb.

Der Rauch

Das kleine Haus unter Bäumen am See.
Vom Dach steigt Rauch.
Fehlte er
Wie trostlos dann wären
Haus, Bäume und See.

Vor acht Jahren

Da war eine Zeit
Da war alles hier anders.
Die Metzgerfrau weiß es.
Der Postbote hat einen zu aufrechten Gang.
Und was war der Elektriker?

Der Einarmige im Gehölz

Schweißtriefend bückt er sich
Nach dem dürren Reisig. Die Stechmücken
Verjagt er durch Kopfschütteln. Zwischen den Knieen
Bündelt er mühsam das Brennholz. Ächzend
Richtet er sich auf, streckt die Hand hoch, zu spüren
Ob es regnet. Die Hand hoch
Der gefürchtete S.S. Mann.

Die Wahrheit einigt

Freunde, ich wünschte, ihr wüßtet die Wahrheit
und sagtet sie!
Nicht wie fliehende müde Cäsaren:
»Morgen kommt Mehl!«
So wie Lenin: Morgen abend
Sind wir verloren, wenn nicht ...
So wie es im Liedlein heißt:

    Brüder, mit dieser Frage
    Will ich gleich beginnen:
    Hier aus unsrer schweren Lage
    Gibt es kein Entrinnen.

Freunde, ein kräftiges Eingeständnis
Und ein kräftiges WENN NICHT!

Rudern, Gespräche

Es ist Abend. Vorbei gleiten
Zwei Faltboote, darinnen
Zwei nackte junge Männer: Neben einander rudernd
Sprechen sie. Sprechend
Rudern sie nebeneinander.

Lebensmittel zum Zweck

An Kanonen gelehnt
Teilen die Söhne Mac Carthys Schmalz aus.
Und in unendbarem Zug, auf Rädern, zu Fuß
Eine Völkerwanderung aus dem innersten Sachsen.

Wenn das Kalb vernachlässigt ist
Drängt es zu jeder schmeichelnden Hand, auch
Der Hand seines Metzgers.

Bei der Lektüre eines
spätgriechischen Dichters

In den Tagen, als ihr Fall gewiß war
Auf den Mauern begann schon die Totenklage
Richteten die Troer Stückchen grade, Stückchen
In den dreifachen Holztoren, Stückchen.
Und begannen Mut zu haben und gute Hoffnung.

Auch die Troer also ...

Tannen

In der Frühe
Sind die Tannen kupfern.
So sah ich sie
Vor einem halben Jahrhundert
Vor zwei Weltkriegen
Mit jungen Augen.

Der Himmel dieses Sommers

Hoch über dem See fliegt ein Bomber.
Von den Ruderbooten auf
Schauen Kinder, Frauen, ein Greis. Von weitem
Gleichen sie jungen Staren, die Schnäbel aufreißend
Der Nahrung entgegen.

Bei der Lektüre eines sowjetischen Buches

Die Wolga, lese ich, zu bezwingen
Wird keine leichte Aufgabe sein. Sie wird
Ihre Töchter zu Hilfe rufen, die Oka, Kama, Unsha,
                                                    Wetluga
Und ihre Enkelinnen, die Tschussowaja, die Wjatka.
Alle ihre Kräfte wird sie sammeln, mit den Wassern aus
                                    7000 Nebenflüssen
Wird sie sich zornerfüllt auf den Stalingrader Staudamm
                                                    stürzen.
Dieses erfinderische Genie, mit dem teuflischen Spürsinn
Des Griechen Odysseus, wird alle Erdspalten ausnützen
Rechts ausbiegen, links vorbeigehn, unterm Boden
Sich verkriechen – aber, lese ich, die Sowjetmenschen
Die sie lieben, die sie besingen, haben sie
Neuerdings studiert und werden sie
Noch vor dem Jahre 1958
Bezwingen.
Und die schwarzen Gefilde der Kaspischen Niederung
Die dürren, die Stiefkinder
Werden es ihnen mit Brot vergüten.

Die Kelle

Im Traum stand ich auf einem Bau. Ich war
Ein Maurer. In der Hand
Hielt ich eine Kelle. Aber als ich mich bückte
Nach dem Mörtel, fiel ein Schuß
Der riß mir von meiner Kelle
Das halbe Eisen.

Beim Lesen des Horaz

Selbst die Sintflut
Dauerte nicht ewig.
Einmal verrannen
Die schwarzen Gewässer.
Freilich, wie Wenige
Dauerten länger!

Laute

Später, im Herbst
Hausen in den Silberpappeln große Schwärme von
                                        Krähen
Aber den ganzen Sommer durch höre ich
Da die Gegend vogellos ist
Nur Laute von Menschen rührend.
Ich bins zufrieden.

Jan Knopf
Zu den »Buckower Elegien«

Das Motto

Das Motto zu den *Buckower Elegien* setzt, seinem einleitenden und vorausweisenden Charakter gemäß, für die gesamte Sammlung das prägnante Zeichen. Es übernimmt ein altes, ein antikes Bild, das nämlich des »Segel-Setzens«, und wendet es politisch. Politische *Lyrik* ist annonciert. »Segel setzen« oder »stellen« stand in der Antike für »Bücher schreiben«, präziser noch »Poesie verfassen«, Lyrik. Pindar benutzte das Bild, indem er die Musen anflehte, ihm die Segel seines Sangs zu blähen: Ohne den Atem der Musen sei es ihm unmöglich zu dichten. Horaz, den Brecht 1953 in Buckow gelesen hat und der aller Wahrscheinlichkeit nach für Brechts Gedicht Vorbild geworden ist, hat gedichtet:

> Von Schlachten wollt' ich singen und Städtesieg,
> Da rauschte Phöbus' Leier und warnte mich:
> »Vertraue doch dein schwaches Segel
> Nicht der tyrrhenischen Flut!« [...]

Phöbus Apollo, der Gott des Lichts und der Künste, warnt den römischen Dichter vor den tückischen Fluten des etruskischen Meers. Er möge sich, statt sich mit kriegerischen Worten abzuplagen, dem Preis des Friedens widmen, sanftere, wohllautendere, ruhigere Töne anstimmen; konkret: in Augustus den Friedensfürsten panegyrisch besingen. Und in der Tat leitet das Bild eine, den Augustus preisende Ode ein, eine Ode, die geschrieben ist nach den kriegerischen Auseinandersetzungen, am Beginn eines neuen friedlichen Zeitalters; die Römer nannten es ihr »Goldenes Zeitalter«.

35

Das »Goldene Zeitalter« des modernen Dichters aber scheint nicht anbrechen zu wollen. Zwar schreibt auch dieser nach einem Krieg, nach dem grausamsten Krieg der bisherigen Geschichte, aber die Zeit danach bringt nicht den ersehnten Wandel. Die Geschichte steht still, sie kommt nicht voran. Und entsprechend stagniert die Dichtkunst. Diese Dichtkunst sieht sich nicht (mehr) gefährdet durch die Stürme des Krieges. *Sie*, jedenfalls so wie Brecht sie handhabe, hat die Stürme nicht gescheut und sie auch überstanden; sie ist nicht mehr gefährdet dadurch, daß sie sich den Unbilden des Wirklichen aussetzt. Ihre Gefährdung liegt vielmehr im Abflauen der »musischen Winde«, darin, daß die Geschichte nicht weitergeht. Weder Preis der Herrscher noch Wirklichkeitsflucht ist ihre Aufgabe; sie ist paralysiert, wenn sich nichts mehr rührt, wenn alles auf den Positionen bleibt, die einmal eingenommen sind.

Auf dem Hintergrund des antiken Bildes stellt das Motto Musenanruf und Tataufruf zugleich dar. Das antike »Sage mir Muse die Taten …«, als klassische Einleitungsformel von lebensprallen Berichten, hat sich zur Frage gewandelt: »Wie soll ich von Taten berichten, wenn alle ihre Voraussetzungen fehlen?« Der lyrische (oder epische) Bericht folgt beim modernen Dichter nicht mehr den Einflüsterungen der Musen, den Göttinnen der Künste und Wissenschaften, sondern der realen (gesellschaftlichen) Entwicklung. Wenn da Windstille herrscht, gibt es keine Schilderungen von Taten mehr, höchstens Klagegesänge, Elegien.

Aber, und dies zeichnet den Dichter Brecht aus: Die Elegien sind nicht rückwärts gewendet. Die Klage formuliert sich als Hoffnung, als Aufruf, daß es weitergehen möge. Der Blick geht nicht zurück, sondern entwirft eine Hypothese, deren Realisierung Bewegung und Bewegtheit brächte.

Das Gedicht besteht lediglich aus zwei konjunktivischen Bedingungssätzen; diese sind parallel gebaut und jeweils mit einem gestischen »da« versehen. Das meint: Die Hypothese ist nicht unverbindlich, sondern in bestimmter Weise habhaft zu machen. Auch ist ein bestimmter Wind gemeint. Hier will keiner seine Segel, wie die Redensart sagt, in den Wind hängen; hier sucht einer nach Voraussetzungen, nach objektiven Voraussetzungen, für *seine* Aktivität. Die Materialien könnten noch so primitiv sein, das Segel würde, sind die Voraussetzungen geschaffen, gebaut.

Es gilt aber auch umgekehrt: Wenn kein Wind geht, hat die subjektive Aktion keinen Sinn. Das lyrische Ich beklagt folglich keinen persönlichen Verlust, keine persönliche Erfahrung. Es wünscht allgemeine Bedingungen, unter denen es tätig werden könnte. Das lyrische Ich ist kein isoliert elegisches Ich der Gattungstradition; es wertet diese vielmehr – wie auch den antiken Musenanruf – um. Die Elegien erfassen nicht subjektive Gestimmtheiten, sie suchen nach der allgemeinen Lage, scheuen aber auch vereinzelten Aktionismus. Das antike Bild legt, in seiner historisch-gesellschaftlichen Umdeutung, fest: Keiner vermag vorwärts zu kommen, wenn nicht die allgemeinen, im Prinzip für alle geltenden Voraussetzungen gegeben sind. Sind sie jedoch gegeben, so genügen bereits einfache Mittel, um Segel setzen zu können.

In bezug auf die zweite Bedeutung des Bildes gibt sich das Gedicht als Paradox, genauer gesagt: als Widerspruch. Es formuliert hypothetisch die Möglichkeit, unter bestimmten Voraussetzungen dichten zu können, verneint zugleich aber in der Hypothese, daß die Voraussetzungen bestehen, und realisiert dies dennoch lyrisch. Daß nicht gedichtet werden könnte, sagt das Gedicht dichterisch.

Das bedeutet: Die *Buckower Elegien* geben sich nicht nur von vornherein selbstwidersprüchlich, sondern formulieren in der »Klage« zugleich auch den Widerstand gegen das, was beklagt wird. Damit wird jedes Gedicht der Sammlung durch ihr Motto doppeldeutig. Einerseits beklagen die Gedichte, nur einen Zustand, den der Windstille, des gesellschaftlichen Stillstands, schildern zu können, andererseits drängen sie darauf, der Dichtung neuen Sinn zu geben: als Teilhabe an allgemeiner gesellschaftlicher Aktivität. Ihre Realisierung bedeutet die Selbstaufhebung dieser Lyrik. Dies ist ihr Ziel.

Der Radwechsel

Das Gedicht eröffnet nach dem lyrischen »Motto« den Zyklus der *Buckower Elegien*. Sechs Verse, fünf Sätze, der letzte Satz über zwei Verse hin mit Zeilenbrechung formuliert, dagegen die ersten vier Verse im strengen Zeilenstil, enthaltend einfache Feststellungen, die in den Versen 3 und 4 sogar parallel angeordnet und bis auf ein Wort identisch sind; ein offenbar sehr einfaches, fast kunstlos anmutendes Gedicht – auf den ersten Blick jedenfalls.

Inhaltlich ist – zunächst ganz vordergründig – ein durch eine Panne erzwungener Aufenthalt thematisiert, wobei das Gefährt selbst nicht näher ausgewiesen ist: darauf kommt es offenbar weniger an als auf die Situation, die dadurch entsteht. Ein isoliertes Ich, das lyrische Ich sitzt am Straßenhang (die meisten Ausgaben schreiben fälschlich »Straßenrand«) und beobachtet den Radwechsel, den der Fahrer vornimmt; dieser immerhin arbeitet. Das Paradox der Beobachtersituation, in der sich das lyrische Ich befindet, ergibt sich daraus, daß das Ich versichert, weder da sein zu wollen, wo es hergekommen ist, noch dorthin zu wollen, wo die Fahrt hingehen soll, und dennoch den Radwechsel mit Ungeduld sieht. Und an eben diesem Paradox erweist sich das Gedicht komplexer, als ursprünglich erwartet. Die übliche Auflösung des Paradoxes nämlich pflegt dadurch zu erfolgen, daß das »eigentlich« gewünschte Ziel des lyrischen Ich ihm ebensowenig erwünscht erscheint wie seine Herkunft, wobei denn das Ziel näher mit »Sozialismus«, die Herkunft mit »Faschismus« bezeichnet wird. – Diese Deutung jedoch fixiert auch da noch Punkte, Ziele, Herkünfte, kurz: *Stationen*, wo das Gedicht sie gerade verweigert, indem es durch die parallele Formulierung der entscheidenden Sätze dem Leser deren Negation insistierend aufdrängt: »Ich bin nicht gern, wo ich …«, und man könnte und sollte verallgemeinernd ergänzen: »bleiben muß«. Gerade der fixierte Ort (»wo«) kennzeichnet die Stereotype des Stillstands, den die paradoxe Frage in Bewegung bringen möchte.

Das lyrische Ich sucht weder die Ruhe des Ziels, noch ist es bereit, in der Herkunft, der Vergangenheit, zu verharren, wie denn auch – und dies ist die gegenwärtige Dimension – der erzwungene Stillstand der Gegenwart auf Ungeduld stößt, obwohl er doch, wenn weder Ziel noch Herkunft »Sinn« der Fahrt sein sollen, nicht unerwünscht sein sollte. Das Paradox löst sich in der Negation des Orts auf, eben im Fahren selbst, nicht in der Fahrt, wohin auch immer. Fahren aber steht dann für Bewegung, genauer: für geschichtliche Bewegung, nicht für »den« Fortschritt, sondern das Fortschreiten, das schon in der Tradition doppeldeutig ist, als ein Fortschreiten von und ein Fortschreiten zu, gewendet gegen die befriedigende Beschwörung von »Errungenschaften«, die so tun, als wäre alles »erledigt«, aber auch gegen die pathetische Beschwörung von Idealen, die sich weder um den Weg zu ihnen noch um die angemessenen Fahrzeuge dafür bemühen. Für den wahren Dialektiker – das Wort kann ausgesprochen werden, wenn es »konkret« bestimmt worden ist – sind Zustände Prozesse und Vorgänge Übergänge.

Das Gedicht jedoch stellt nicht nur den unerwünschten Stillstand dar, es reflektiert zugleich die dadurch entstandene Beobachtersituation, wodurch es überhaupt erst – freilich in einem neuen Sinn – elegisch wird. Da das lyrische Ich sich in Bewegung, in den Prozeß »hinein« wünscht, erhalten die ruhende Beobachtung und die Situation der Beobachtung etwas beunruhigend Negatives. Die abendländische Tradition pflegt doch gerade in der ruhenden Distanz, in der – unaufgeregten – Kontemplation, womöglich fern ab vom »zeitlichen Gedränge« und schon gar nicht unmittelbar an der Straße, die notwendige Voraussetzung für Denken, Erkenntnis und angemessenes Bewußtsein zu sehen, und erinnerlich ist der Goethesche Satz, daß der Handelnde immer gewissenlos sei, was denn positiv heißt, daß der in den Prozeß verstrickte Mensch kaum auch zu seiner wahren Erkenntnis gelangen wird. Meint nicht Brechts Empfehlung, dem Zuschauer im Theater die unnatürlich-glotzende Haltung des Sich-Hinein-Versenkens zu nehmen, eben die dermaßen beruhigte Haltung des Weisen, wie umgekehrt der Existentialismus aus dem »Hineingeworfen-Sein« eine ganze Philosophie entworfen hat? – Jedoch, der ins »Abseits« gestellte Beobachter ist der Elegiker eines neuen Typs, der nicht ins Vergangene wehmutsvoll zurückblickt und seinen Verlust einklagt, der vielmehr in der Distanz von Beobachtung verharren muß – und zwar des *Gegenwärtigen* –, wo es doch eigentlich mitzuhandeln und den historischen Prozeß voranzutreiben gilt. Es geht nicht um die unaufgeregte, antiillusionistische Haltung im Theater – bei einer künstlerischen Veranstaltung, sondern um die Haltung in der Realität, in der die Trennung von Arbeit und Ruhe, von Tat und Betrachtung nicht mehr gilt, weil die Geschichte an einem Punkt angelangt ist, an dem die bürgerliche Trennung überwunden, die Verbindung von Geschichte-Machen und ihrer theoretischen Reflexion durch die Menschen selbst bzw. für sie noch nicht geleistet wird. Derjenige, der sich für diese Verbindung eingesetzt hat, hier gespiegelt im Rollen-Ich des sprechenden Elegikers, hat keinen Anteil, keinen realen Anteil an der Arbeit zum Weiterkommen, angesetzt verharrt er in Beobachtung, wo er mitwirken wollte und lieber im Prozeß selbst reflektierte. Daß dieses Ineinander von Tat und Be-

41

trachtung wenig mit dem existentialistischen In-der-Welt-Sein zu tun hat, dessen Existenz sich freilich ähnlicher Wurzeln zu verdanken hat, ist bereits mit der negativen Einschätzung von Reflexion, aber auch mit der Statik des eingeschlossenen Raums sowie des Bezugs auf das isolierte Ich als auf das je eigene Dasein hinreichend gekennzeichnet.

Die Wirkung der Elegik ist, dadurch daß sie sich auf Gegenwärtiges bezieht, gesteigert; sie gilt nicht dem individualistischen und machtlosen Sich-Erinnern des ohnehin nicht mehr Aktualisierbaren, sie zielt vielmehr direkt auf die mögliche Veränderung, die im Bewußtsein einer zu erledigenden Vergangenheit, aber auch im Bewußtsein einer nicht idealistisch zu beschwörenden Zukunft geschieht. Die Ruhe, zu der der Betrachter genötigt ist, soll weder in den Dingen noch im Betrachtenden sein, Kontemplation mitten in der neuen Welt des aufzubauenden Sozialismus kommt einem Ausschluß aus der Geschichte gleich. Insofern reflektiert es nicht nur die grundsätzlichen Aspekte, sondern auch die persönlichen des Dichters Brecht, der in Buckow – in einer zwar »schönen«, aber folgenlosen und die menschliche Arbeit so wenig spiegelnden »Natur« – abgesetzt ist und am historischen Geschehen wenig mehr beteiligt wird. Er mißtraut allen Beschwörungen, die nicht die Veränderung und Veränderbarkeit des Beschworenen implizieren, und ist eben darum als »Unruhe«-Stifter an den Rand gedrängt. Die Aufhebung der Trennung von Politik und Philosophie, von Handlung und Reflexion, oder noch besser mit Brecht gesagt: von Unterhalt und Unterhaltung ist noch nicht erwünscht und durchsetzbar.

Positiv gewendet heißt dies: Das Gedicht zielt auch auf die Verbindung von Literatur und gesellschaftlicher Produktion, auf die Ablösung der bloß kontemplativen Aufnahme von Unterhaltung, Literatur, Kunst, Philosophie;

wobei denn aber auch nicht ins Gegenteil zu verfallen ist, wie es neuerdings so häufig geschieht, den Menschen nur als Spielenden noch menschliche Würde zuzugestehen und in der »Freiheit des Spiels« allein den humanen Selbstzweck zu sehen. Brecht hat zu eben dieser Zeit in noch nicht publizierten Satiren davor gewarnt, den Aufbau der Kultur in der Unterhaltung zu verselbständigen und die Bedeutung des Unterhalts zu bagatellisieren. Eben dies führt unmittelbar nach Buckow, aber ohne elegische Komponente, vielmehr zum gesellschafts- und arbeitsfreien Ausleben derjenigen, die es sich leisten können. Nur wenn die Literatur sich an die gesellschaftliche (und das heißt: notwendige) Produktion bindet, vermag sie selbst produktiv zu sein. Andernfalls würde sie – und eben dagegen wendet sich das Gedicht – zur Elegie auf die Gegenwart (als falscher Vergangenheit) und damit zum Dokument erzwungener Subjektivität, die sich widerständig als unerwünschtes Außenseitertum in der Elegie formuliert. Wenn die Klage zur Anklage geworden ist, hat die Elegie ihr Ziel erreicht, nämlich selbst wieder Geschichte zu werden.

Der Blumengarten

Man muß schon näher hinschauen, um zu bemerken, daß das Gedicht *nicht* gereimt ist. Die vielen Assonanzen klingen derart zusammen, daß sich scheinbar geregelter Tonfall einstellt:

> Am See, tief zwischen Tann und Silberpappel
> Beschirmt von Mauer und Gesträuch ein Garten
> So weise angelegt mit monatlichen Blumen
> Daß er vom März bis zum Oktober blüht.

Die Unterstreichungen berücksichtigen nur die auffälligsten lautlichen Zusammen»stimmungen«. Es handelt sich um ein raffiniertes Geflecht von a-, i- und o-Tönen, verbunden mit (an Konsonanten gebundene) Alliterationen (See-Silber, tief-Tann, Gesträuch-Garten, Blumen-blüht). Das heißt: das Gedicht will offenbar die »weise« Anlage, die »Angenehmes« zeigt, ästhetisch »wiederholen«; nicht nur behaupten und fordern, sondern beweisen.

Die Anlage des Gartens zeugt von Überlegung, Verstand (das Schöne kommt nicht allein aus dem Gefühl). Sie »geht« *mit* der Natur, das heißt, der Gärtner wählt die Blumen und Pflanzen so aus, daß sie den Jahreszeiten (der gemäßigten Breiten) folgend nacheinander blühen. Der Garten blüht also »immer«, jedenfalls so lange überhaupt etwas blüht, und zwar gleichgültig, welches »Wetter« gerade herrscht, wie es die zweite Strophe – rückblickend die erste erweiternd – besagt. Der Gärtner kennt die Natur, mit der er umgeht. Sein Garten ist zwar »künstliche« Natur, aber sie verleugnet nicht die Natur, sondern »wendet« sie, sozusagen, »an«. Diese Feststellung erlangt »tiefere« Bedeutung, wenn man bei diesem poetischen

Garten an die Gärten erinnert, die Brecht im amerikanischen Exil erlebt und beschrieben hat: auch sie kunstvolle und künstliche Anlagen, aber *gegen* die Natur, am Leben gehalten sozusagen durch »künstliche« Wetter (ständige Sprengungen).

> Auch in der Hölle
> Gibt es, ich zweifle nicht, diese üppigen Gärten
> Mit den Blumen, so groß wie Bäume, freilich verwelkend
> Ohne Aufschub, wenn nicht gewässert, mit sehr teurem
> Wasser. Und Obstmärkte
> Mit ganzen Haufen von Früchten, die allerdings
> Weder riechen noch schmecken. [...]

Solche Gärten empfahl der Dichter zu »sprengen«.

Gartenkunst mit der Natur und Gartenkunst gegen die Natur: das sind zwei diametral entgegengesetzte Verfahrensweisen. Die erste kennt die Gesetze des natürlichen Ablaufs und setzt sie künstlich ein; die zweite kümmert sich nicht um die Natur, vielmehr stellt sie sie künstlich her, so daß die Natur nicht mehr als natürliche, sondern als reines Kunstprodukt erscheint. Entsprechend riechen und schmecken die Produkte nicht. Diese Kunst überlistet die Natur. An anderer Stelle in Brechts Werk gibt es für diese zwei verschiedenen Verfahrensweisen gegenüber der Natur die Kennzeichnungen »aristotelisch« und »wissenschaftlich«. Das aristotelische Prinzip meinte, der Natur (für den Menschen) nur etwas ablocken zu können, wenn man sie überlistete. Das wissenschaftliche Prinzip der Neuzeit, das als Prinzip noch heute gilt, unterwirft sich (durch entsprechende Kenntnisse) der Natur und »besiegt« sie – scheinbar paradox –, indem sie sie künstlich anwendet. Die theoretische Kenntnisnahme (Wissen, Weisheit) und praktische Anwendung (Anlage) benennen – fürs »wissenschaftliche Zeitalter« – menschliche Arbeit, die dann am glücklichsten erscheint und die angenehmsten Ergebnisse zeitigt, wenn sie theoretisches Wissen und praktische Anwendung miteinander vermittelt.

Diese Andeutungen belegen schon, daß das Gedicht offenbar nur oberflächlich vom Garten handelt. Im Zentrum stehen die Arbeit und ihre (glücklichen) Produkte. Und das im doppelten Sinn: Die Arbeit des Anpflanzens ist parallel gesetzt zur Arbeit des Dichters, eine Parallele, die im Gedicht *Vergnügungen*, das nur ein Jahr später entsteht (1954), wiederholt ist: »Schreiben, Pflanzen«. Die weise Anlage des Gartens sucht Entsprechungen in der Dichtung. Auch sie hat der Natur zu folgen und, wenn sie entsprechend angenehm wirken will, sie anzuwenden. Die »Natur« der Dichtung freilich ist die gesellschaftliche Wirklichkeit – wie sich ja auch der Garten als künstliche Natur und damit als menschliches Produkt herausgestellt hat. Dichtung hätte also der gesellschaftlichen Wirklichkeit zu folgen, die dann freilich nicht angenehm (schön) ausfallen kann, wenn sie sich nicht selbst als angenehm zeigt (nicht blühende Blumen hervorbringt). Der Wunsch gilt folglich nicht besserer Kunst, sondern besserer Wirklichkeit, deren »Unangenehmheit« nicht beklagt, sondern im positiven Gegenbild projiziert wird.

Umgekehrt aber gilt auch: Da die Realität keineswegs – wie dieser Garten – nur Angenehmes zeigt (und zeigen kann), bleibt das Dichten des Schönen Ausnahme. Wie der Garten in einer Nische des (Buckower) Anwesens gut beschirmt und beschützt ist, kann sich der Dichter das Angenehme nur zeitweilig (nicht »allzu häufig«) leisten. Die – wie sagt man in verbrämender politischer Sprache – »Großwetterlage« ist nicht so, daß der beschauliche Winkel des Gartens bereits die Welt bedeutete. Die zweite Strophe des Gedichts bildet die Zurückhaltung, den angenehmen Ort zu besuchen, auch sprachlich ab: Die gehäuften, durch Komma getrennten Orts- und Zeitangaben setzen das Zögern, sich am »buckowlischen« Ort »aus der Welt« zu begeben, handgreiflich, »gestisch« um. Man denke nur an Rilkes *Duineser Elegien,* um ein Gegenbeispiel zu haben. Das Rilke großzügig zur Verfügung gestellte Schloß von Duino wurde für diesen zum Ort des Rückzugs, zur Selbstbesinnung und damit zum Ort für eine visionäre Dichtung, die mit »der Welt« (und ihren »Wettern«) gerade nichts zu tun haben wollte. Brecht besteht auf der – freilich »weisen« – Schönheit ohne vordergründigen Nutzen (kein Gemüse, kein Obst), weil auch sie zum Menschsein gehört.

Die Lösung

Die berühmte Pointe des Gedichts, wonach die Regierung das Volk auflösen und ein neues wählen solle, geht in die dreißiger Jahre zurück. Brecht schrieb damals erste Entwürfe zum später so genannten Stück *Turandot oder Der Kongreß der Weißwäscher* nieder. In einem der Entwürfe heißt es:

> GOGHER GOGH Was heißt das: Das Volk kann sich sein Regime wählen? Kann sich etwa das Regime sein Volk wählen? Es kann nicht. Es muß mit dem Volk, das es zufällig besitzt, auskommen, ob dieses Volk auch noch so miserabel ist. Nehmen Sie unser Volk, Eure Majestät! Es ist miserabel. Es denkt ausschließlich an sein eigenes Wohlergehen und lebt also skandalös über unser Einkommen.

Die Figur des Gogher Gogh sollte als Modellfigur auf Hitler weisen (nicht ihn »abbilden«); der Angesprochene ist der »chimesische« Kaiser des Modellstaats im Stück (»chinesische Verkleidung«). Die beiden bestätigen sich, daß das Volk »gemeingefährlich« wäre, weil es sich nicht in die üblen Machenschaften der Regierenden fügen will. Die Satire sollte die Beurteilungen umkehren: Was die Regierenden als »gemein« denunzieren, sollte – sozusagen mit den Fingern – auf die wirklichen Gemeinheiten der Regierenden zurückfallen.

Diese satirischen Effekte bewahrt auch die spätere Elegie, mit der eindeutig der 17. Juni 1953 angesprochen ist. Der Bezug freilich zum Faschismus ist – wie die übrigen Elegien der Sammlung zeigen – getilgt. Lesungen, wonach die DDR-Regierung – auch ohne Kenntnis der Werkbezüge bei Brecht – »im Grunde« nichts anderes als ein diktatorisches (sprich: faschistisches) System repräsentiere, lagen in den fünfziger und sechziger Jahren, als solche Gebilde vor allem ideologisch eingeschätzt worden sind, nahe; sie sind jedoch inzwischen widerlegt.

Der Vorgang, den das Gedicht beschreibt, ist halbwegs authentisch. Kurt Barthel, genannt »Kuba« (1914–1967), damals Sekretär des Schriftstellerverbandes der DDR und Mitglied des Zentralkomitees der SED, meinte am 20. Juni 1953 die Arbeiter (u.a. der Stalinallee) öffentlich schelten zu müssen, weil sie am 16. und 17. Juni ihre – von Brecht übrigens ausdrücklich begrüßten – Forderungen durch Arbeitsniederlegungen »bekräftigten«: »Es gibt keine Ausrede!« schrieb Kuba im *Neuen Deutschland* mit Drohgebärde. »Und es gab keine Ursache dafür, daß ihr an jenem für euch – euch am allermeisten – schändlichen Mittwoch nicht Häuser bautet. – Da werdet ihr sehr viel und sehr gut mauern und künftig sehr klug handeln müssen, ehe euch diese Schmach vergessen wird.« Der 150prozentige Funktionär führte das große Wort, wie er meinte, auch für die anderen, auch für die Regierung. Jedoch, dem war nicht so. Es kommt zu heftigen – offiziellen – Gegenreaktionen, z.B. durch die Stellungnahme von Wilhelm Girnus (u.a. Herausgeber von *Sinn und Form*) am 28. Juni 1953, ebenfalls im *Neuen Deutschland*. Und der Schriftstellerverband sieht sich durch einen solchen Funktionär nicht mehr genügend vertreten: Kuba wird gestürzt.

Aus diesem Bezug zum historischen Faktum, das Brecht freilich nicht so wiedergibt, wie es »wirklich« war, ergibt sich zunächst die naheliegendere Lesung, daß die »Lösung«, die das Gedicht vorschlägt, nicht der Regierung selbst, sondern der merkwürdigen Meinung des »Sekretärs« untergeschoben wird, der da meinte behaupten zu müssen: das »Volk« habe das »Vertrauen der Regierung« verscherzt. Auch das Gedicht unterstützt die Lesart. Es nimmt Stellung zum Flugblatt des »Sekretärs« und schlägt *diesem* die satirische Lösung vor.

Nähere Hinweise lassen sich aus Brechts Veränderung entnehmen, die dem historischen Faktum gelten. Kuba äußerte sich im »Zentralorgan« der – das Volk vertretenden – Partei. Brecht aber läßt seinen Sekretär *Flugblätter* verteilen. Konnte Kubas Stellungnahme im offiziellen Organ als offizielle Stellungnahme der Regierung mißverstanden werden, so versucht Brechts Gedicht, diesem Mißverständnis von vornherein zu entgehen. Flugblätter sind Stellungnahmen von Gruppierungen, Interessenvertretungen, auch Parteien, aber nicht *der* Partei, die die SED im Selbstverständnis der DDR darstellt. Außerdem *läßt* der Sekretär bei Brecht das Flugblatt verteilen. Die Haltung, mit der er seine bzw. die Meinung einer Interessengruppe (Schriftstellerverband) kundtut, ist in jeder Hinsicht herablassend und gebieterisch. Dadurch zeigt sich nicht nur der große Abstand, den der Sekretär im Gedicht zum »Volk« hat (er bemüht sich noch nicht einmal um ihn), vielmehr entlarvt dieses Vorgehen auch den Hochmut, die Anmaßung des (kenntnislosen) Funktionärs, der mit großen Worten über die Belange der Arbeiter hinweggeht.

Diejenigen, die die Flugblätter im »Auftrag« verteilen, sind Handlanger; derjenige, der verteilen läßt, demaskiert sich als – wie Brecht den Typus genannt hat – »Kopflanger« bzw. mit Brechts Kunstwort gesagt, als »Tui«. Das sind die Intellektuellen, die sich – ihre Stellung, ihren Broterwerb zu retten – opportunistisch anpassen und *jeder* Herrschaft zur Verfügung stehen: ihre – volksfremden, die Realitäten leugnenden – Machenschaften diensteifrig als Notwendigkeiten und »richtige Maßnahmen« zu rechtfertigen. Jedes Argument ist dabei gut, auch das, daß sich angeblich das Volk um das *Vertrauen* der Regierung zu bemühen habe. Von »Vertrauen« ist immer dann die Rede, vor allem von »oben«, wenn die Argumente »aus« sind. In der satirischen Umkehr erscheint die Irrationalität der Forderung nach »Vertrauen« noch pervertierter. Zumal: Lenins Losung, daß Vertrauen gut, aber Kontrolle besser sei, war zumindest ideologisch eine der Grundpositionen des neuen deutschen Staats. Die »verdoppelte Arbeit«, die das Flugblatt fordert, zielt auf dessen Selbstverständnis. Als Staat für Arbeiter und Bauern darf Arbeit nicht zur Strafaktion werden, ohne in alte Entfremdungen zu pervertieren. Deshalb scheint die (satirische, aber unmögliche) Lösung »einfacher« zu sein. Wer solche Vorschläge macht, dem kann nichts mehr abgenommen werden.

Daß Brecht die Flugblattverteilung ausgerechnet in die Stalinallee legt, bringt auf einfache, aber genaue Weise das Thema »Stalinismus« ins Gedicht. Der Name der Straße, von der der Aufstand ausging, verweist auf den überständigen Stalinismus in der DDR, gegen den sich (auch) die berechtigten Forderungen der aufständigen Arbeiter gerichtet haben. Nicht »verdoppelte Arbeit« wollten sie leisten, sondern »angemessene«: für sich und damit auch für den neuen Staat.

Böser Morgen

Böses Erwachen – nach dem 17. Juni 1953. Ein Akt der Bewußtwerdung auch, indem das lyrische Ich auf einmal alles anders sieht. Buckow bedeutete mehr noch als das schöne Haus in der Chausseestraße Privilegierung, Rückzug in Schönheiten, die für viele noch nicht galten. 1950 dichtete Brecht: »Zurückgekehrt nach fünfzehnjährigem Exil / Bin ich eingezogen in ein schönes Haus. / [...] / Fahrend durch die Trümmer / Werde ich tagtäglich an die Privilegien erinnert / Die mir dies Haus verschafften. Ich hoffe / Es macht mich nicht geduldig mit den Löchern / In denen so viele Tausende sitzen.« Der Genuß des Schönen, der 1953 schon möglich schien, erweist sich vor den Realitäten des Tages als illusionär. Die Naturschönheit des Orts, die Silberpappel, verwandelt sich – anthropomorphisiert – in die alte Vettel, deren Bild Brecht schon überwunden glaubte: Vettel-Gestalten waren bei Brecht sowohl die faschistische bleiche »Mutter« Deutschland als auch die – durch »Formalismen« verunstaltete – Kunst. Die Schönheit des Sees hat sich in Abwaschwasser verkehrt, das offenbar, sollte es gerührt werden, Dinge ans Licht bringt, die längst als »abgewaschen« galten. Insgeheim verbirgt sich in diesem Bild auch noch, daß da womöglich »Angestrichenes« abgewaschen wurde, das jetzt wieder hochzusteigen droht. »Anstreicher« nannte Brecht den Hitler und seine Horden. Und auch die Schönheit der Blumen, die der *Blumengarten* noch pries, erweist sich auf einmal als falscher Tand. – Ob übrigens in den Namen der Blumen, wie immer »symbolisch«, weitergehende »Verschlüsselungen« verborgen sind, läßt sich fragen, wohl aber nur spekulativ beantworten. Die Fuchsie heißt nicht nach dem »Fuchs« so, sondern nach einem Botaniker, während das Löwenmaul seinen Namen der Ähnlichkeit mit dem Tier, seinem aufgerissenem Maul mit breiten Lippen, verdankt. Daß die »schlauen« Fuchsien nach guter Fabeltradition unters Joch des Herrschertiers gebeugt seien u. ä., gibt zwar momentanen Sinn, spielt aber für das Gedicht keine wesentliche Rolle. Die ursprüngliche Fassung des Gedichts sah die Verbindung dieser zwei Blumen noch nicht vor.

Böser Morgen

Die Silberpappel, eine ortsbekannte Schönheit
Heut eine alte Vettel. Der See
Eine Lache Abwaschwasser, nicht rühren.
Die Fuchsien billig und eitel. Warum?
Heut Nacht im Traum sah ich Finger auf mich deutend.

Sie waren zerarbeitet und
Sie waren gebrochen.

Die plötzliche Verwandlung der Natur über Nacht realisiert sich sprachlich ohne jegliche Verbformen. Diese Sprachgebung besagt: Nicht die Natur *wandelt sich*, ihr Eindruck vielmehr auf das »Ich« erscheint umgewandelt. Die Natur ist nicht realiter so, sie stellt sich vielmehr dem Subjekt so dar; dies aber nicht aus subjektiver Vision, aus persönlicher Anschauung, sondern aus objektiven Gründen. Diese Gründe liefert der Traum, nach dem durch das »Warum« auch ausdrücklich gefragt wird.

Im Traum sieht das lyrische Ich sich gezeichnet. Auf es wird mit dem Finger gezeigt; es wird quasi bloßgestellt. Die Finger gehören zweifellos Arbeitern; denn die Finger sind »zerarbeitet« und »gebrochen«. »Zerarbeiten« deutet auf immer noch bestehende entfremdete Arbeit der Arbeiter im Sozialismus: Sie arbeiten immer noch nicht für sich. »Gebrochen« ist doppeldeutig. Einmal verweist das Verb auf Gewaltanwendung, die die Arbeit überhaupt in Frage stellt (daß Brecht als Verursacher *nicht* die sowjetischen Panzer meint, ergibt sich aus dem Gesamtzusammenhang der *Buckower Elegien*). Zugleich aber lassen sich gebrochene Finger, das ist der zweite Sinn, nicht mehr zur Faust ballen. Die geschlossene Faust aber war und ist das Symbol der kommunistischen Bewegung (die *Internationale* z.B. wird mit erhobener Faust gesungen). Wenn der derart gebrochenen Hand noch ein »Gruß« möglich wäre, dann der, den der Faschismus zelebriert hat, freilich nicht mehr in zackiger Form (vgl. den *Einarmigen im Gehölz*). Die Finger, die derart auf den »Aussätzigen« deuten, lassen sich denn von hier aus als depravierter Hitlergruß deuten. Derart (wie) auf einen Aussätzigen zu deuten, stößt den Betroffenen nicht nur grundsätzlich aus, sondern impliziert auch in der Geste des Abweisens, von sich selbst abzulenken, und zwar womöglich gerade von dem, was am anderen »ausgesetzt« wird.

Die Vorstufe des Gedichts, die eine Fassung für sich darstellt, schließt mit der vorwurfsvollen Geste gegenüber dem lyrischen Ich. Erst die endgültige Fassung fügt den Passus »Wie auf einen Aussätzigen« ein und die beiden Schlußverse, als gesonderte Strophe, an. In ihr formuliert sich der (objektive) Widerspruch. Das »Ich« scheint sich rechtfertigen zu wollen, indem es die Arbeiter der Unwissenheit beschuldigt; in der Schlußpointe jedoch erkennt das »Ich« den Vorwurf doch auch als berechtigt an. Der Vorwurf der Unwissenheit meint nicht mangelnde Weisheit, sondern mangelnde Unterrichtung. Und dies in zweierlei Hinsicht. Einmal erweisen sich die Arbeiter als ungenügend über die faschistische Gefahr im eigenen Land unterrichtet (»Wir haben unseren eigenen Westen bei uns«, schreibt Brecht an den Arbeiter Paul Wandel); sie zeigen sich, am 17. Juni auf dem Sprung, ihre eigenen

Interessen (Zerarbeitung im Sozialismus) mit fremden Interessen (Zerbrechen durch den Neofaschismus) zu vermischen, sich falschen Parolen anzuschließen. Der andere Bezug besteht im Hinblick auf das lyrische Ich: Als dichtendes Subjekt kümmert es sich scheinbar bloß um Anschauung, Ästhetik, nicht oder zu wenig um die Belange der Arbeiter. Indem er – bezieht man das lyrische Ich auf Brecht – die Privilegien seiner Stellung genießt, erscheint er für die Arbeiter als Außenstehender (»Aussätziger«), der sich – auf ihre Kosten – ein angenehmes Leben leisten kann. Das lyrische Ich beschuldigt die auf es deutenden Arbeiter der Unwissenheit über das, was es als Dichter wirklich für sie tut, daß es sich für ihre Interessen einsetzt, daß es seine Arbeit mit der ihren verbunden sieht. Aber zugleich kann es die Berechtigung des Eindrucks nicht abwehren; denn es geht ihm besser. Der Dichter, der Privilegierte, verrichtet keine entfremdete Arbeit, und er kann sich Genüsse leisten, die den Arbeitern noch lange entzogen sind.

Das Gedicht versucht, indem es vorführt, daß die liebgewonnene Ästhetik versagt, als das Versagen der neuen Gesellschaft droht, die positive Antwort zu geben. Der Naturgenuß und die kunstvolle Ästhetik sind nur möglich, wenn sie im Zusammenhang mit nicht entfremdeter Arbeit und außerhalb neofaschistischer Bedrohung stehen. Alle Schönheit zerfällt in dem Moment, wenn die materiellen Voraussetzungen für sie nicht gegeben sind. Diese aber erarbeiten die Arbeiter. Daß sie schon Geschichte machten, war der Irrtum; ihn zu entdecken, der böse Morgen.

Die Musen

Die Musen: die Künste, die Wissenschaften. Ehe sie von wissenschaftlich gesinntem Geist in verschiedene Bereiche zerlegt und Funktionen zugeordnet wurden, Erato der Lyrik, Kleio der Historie, Urania der Astronomie etc., insgesamt neun an der Zahl, zeichneten sie sich durch ihren sirenengleichen Gesang aus. Der Mythos berichtet: Wenn sie nach dem Olymp, dem Sitz der Götter, zogen, so hüllten sie sich in Wolken und ließen nur ihren wunderschönen Gesang hören. Und weiter überliefert der Mythos: Wen sie liebten und anrührten, aus dessen Mund sei süß die Rede und süß der Gesang geflossen. Pindar rief die Musen an, ihm die Segel seines Sanges zu blähen – und unvermutet schlägt sich der Bogen zurück zum »Motto« der *Buckower Elegien*. Hesiod berichtet, als ihn die Musen angerührt hätten, sei ihm versichert worden:

> Seht, wir reden viel Trug, auch wenn es wie Wirklichkeit
> klänge
> Seht aber, wenn wir gewillt, verkünden wir lautere
> Wahrheit.

Der bloße Glanz des Schönen als wunderbarer Trug der Sinne und der Anspruch, Wirklichkeit wiederzugeben, lagen von Anfang an widerspruchsvoll ineins. Ihre Aufgaben, die Götter, die ewigen, seligen im Gesang zu verehren und zugleich von Gewesenem und Künftigem zu künden, lagen von Beginn an im Wettstreit.

Ohne diese mythische Rückerinnerung verflachte das beziehungsreiche Gedicht zu einer bloßen Stalin-Schelte. Stalin ist zweifellos mit dem »Eisernen« sehr direkt gemeint, und die 1982 publizierten Nachlaßgedichte belegen ähnliche Bilder und Vorstellungen:

DER GOTT ist madig.
Die Anbeter schlagen sich auf die Brust
Wie sie den Weibern auf die Hintern schlagen
Mit Wonne.

Aber es ist mehr angesprochen als bloß die panegyrische Heldenverehrung Stalins, mehr als der Eifer der verschiedenen Kunstkommissionen, sich sklavisch einem heroischen »sozialistischen Realismus« zu verpflichten, oder als die scheinbare »Unschuld« (blaue Augen), den Aufbau ohne die Erledigung der (faschistischen) Vergangenheit leisten zu können.

Drei Bildbereiche gehen ineins zusammen. Zunächst sind da die antiken Mythen und Bilder, die die *Buckower Elegien* ohnehin durchziehen. Das Gedicht personifiziert die Künste und Wissenschaften nach antikem Muster. Vorzustellen sind sie als – wie üblich – nackte weibliche Gestalten von großer Schönheit, der Gottheit ergeben und zu schönen Diensten. Dieser antike Bildbereich ist von Beginn an überlagert vom Bild des Eisernen, der in die antike Landschaft nicht paßt. Zwar gab es auch da gewappnete Helden und Götter, aber sie traten den Musen nicht nahe: Diese kündeten von ihnen bzw. ließen die von ihnen berührten Dichter von Helden und Göttern künden. Das Verhältnis hat sich hier umgekehrt: Nicht die Musen »rühren« an, der »Eiserne« traktiert sie. Die ursprüngliche Frage, ob die Musen bloße Schönheit oder auch Wahrheit verbreiten, ist dispensiert. Dermaßen in »Zucht« genommen, geht es nicht mehr darum, *was* sie singen, sondern nur noch wie laut – wie vorlaut – sie sich der falschen Verehrung des »Eisernen« widmen. Die Martialität des »Eisernen« erhält durch die Bildüberlagerung etwas durchaus Unpoetisches, Unmusisches, Finsteres, Unzeitgemäßes und Anachronistisches.

Der dritte Bildbereich ist der der Sexualität. Die antiken Gottheiten sind zu dienstfertigen Prostituierten verkommen. Ihre Blauäugigkeit, die ehemals Unschuld bezeugen sollte, dokumentiert als Augenring der vielen Nächte, in denen sie sich mißbrauchen ließen, ihren bezahlten Dienst ebenso wie die Brutalität ihres Beschälers, der ihnen die Augen blau geschlagen hat. Die Perversität dieses »Dienstes« steigert sich noch durch den Sadomasochismus, in den sich die Musen versetzen. Verprügelt und geschlagen, dienen sie sich nur um so heftiger an, himmeln sie ihren Schläger in hündischer Unterwürfigkeit an, als ob davon irgend etwas anderes als bloße Erniedrigung zu erwarten wäre. Da die Heldenverehrung derart auf sexuellen Unterdrückungsmechanismen beruht, entbehrt sie jeglicher Chance auf Aufklärung.

Das Ineinssetzen der drei Bildbereiche bestimmt die poetische Kraft des Gedichts: Es fügt das Unpassende zusammen und gibt so auch unmittelbar das Bild der Perversion. Tiefer scheint Kunst nicht sinken zu können. Tröstlich ist einzig, daß dies *künstlerisch*, poetisch geschehen kann.

Formal nämlich verfährt das Gedicht konsequent. Auf den ersten Blick gibt es sich als »gebrochene« Prosa, wie auch sonst prosaisch. Brecht jedoch zitiert, so zeigt näheres Hinsehen, antike Metrik. Der Schlußvers besteht wie in der Elegie *Beim Lesen des Horaz* aus dem Schluß des Hexameters, freilich diesmal nicht aus einem reinen Adoneus ($- \smile \smile / - \smile$), vielmehr mit einer »überzähligen« Silbe ($\smile / - \smile \smile / - \smile$). Die Zusammenstellung von Daktylus ($- \smile \smile$) und Trochäus ($- \smile$) aber ist deutlich sichtbar; und sie wiederholt sich im zweiten Vers (»Singen die Musen«), so daß sich wie in der Horaz-Elegie erneut ein rhythmisches »Leitmotiv« ergibt, das die antike Vorstellung der Musen auch im metrischen Zitat bewahrt. – Auch die Lautung des Gedichts bezeugt seine (unscheinbare) Poesie.

Besonders deutlich zeigt sich die Abstimmung im Vers »Aus gebläuten Augen«. Dazu kommen wiederkehrende »i«-, »u«- und »ü«-Vokale, so daß sich lautlich »prügeln« und »hündisch« entsprechen, aber auch »Singen«, »Hintern«, »Begierde« sowie »Musen« und »zuckt«; die Alliteration »Himmeln«, »hündisch«, »Hintern«, verteilt lediglich auf zwei aufeinanderfolgende Verse, fügt sich da nur ins poetisch gelungene Bild.

Das Fazit: Die Kunst vermag, indem sie ihre Erniedrigung nicht verschweigt, sondern widerspruchsvoll gestaltet, zu überleben. Sie umgibt sich mit dem Glanz der antiken Schönheit und sagt dennoch die unschöne Wahrheit.

Gewohnheiten

Zwei Bilder überlagern sich. Die erste Strophe beschreibt knapp den alltäglichen Vorgang der Essensausgabe. Man mag an ein Wohnheim, an Ferienlager u.ä. denken; das Militär darf ausgeschlossen werden, weil zu dieser Zeit keine deutschen Truppen existiert haben. Dennoch hat der Vorgang etwas Militaristisches an sich. Die Teller werden derart auf den Tisch geknallt, daß der Inhalt überschwappt, was damals einerseits Vergeudung wertvoller Nahrungsmittel bedeutet hat, andererseits dem Essen jeglichen Genuß nimmt. Es reduziert sich auf bloße Nahrungsaufnahme, bekommt dadurch bereits etwas Inhumanes, »Tierisches«. Über dieses konkrete, einfache Alltagsbild lagert sich mit der zweiten Strophe ein »Tierbild«, das konkret und allegorisch zugleich ist. Die Allegorie steht zuerst und ist grammatisch isoliert: »Der preußische Adler«, das deutsche Wappentier, ursprünglich das Insignium der preußischen Könige, dann – nach der kleindeutschen Einigung unter preußischer Führung – zum deutschen »Symbol« erhoben und zum Kennzeichen deutschen Militarismus geworden. Unter diesem Zeichen marschierten die deutschen Soldaten zweier Weltkriege in fremde Länder, sie zu erobern und zu unterjochen. Die zweite Strophe nimmt in den beiden abschließenden Versen das Wappentier beim Wort, entwirft mit ihm ein neues Bild, das Bild vom Adler, der seine Jungen füttert. So fächert sich das Bild der zweiten Strophe in zwei sich wiederum überlagernde Bilder auf. Der Film nennt das Verfahren »Überblendung«. Zwei Bilder werden ineins gesehen; sie spiegeln und erläutern sich gegenseitig; zugleich machen sie verborgene Vorgänge, Bedeutungen sichtbar.

Der Vorgang dieser Essensausgabe scheint zunächst zwar unschön, aber im Prinzip auch belanglos zu sein. Mit der Überblendung des zweiten Bildes gewinnt er jedoch symptomatische Aussagekraft. Wer genau hinsieht, sieht auf einmal alte, überwunden geglaubte Gewohnheiten an der Tagesordnung. Man mag sich – bei den schrillen Stimmen etwa – daran erinnern, wie lange noch Politiker, Sportreporter oder Journalisten nach dem Nazireich mit Nazistimmen in die Medien gebrüllt haben. Es handelt sich um Gewohnheiten, die nicht zu Bewußtsein kommen, die – ohne Nachdenken – einfach fortgeführt werden, so als wären sie gar nicht korrumpiert. Da Brecht keine Subjekte – in der ersten Strophe – dingfest macht, stößt er den Leser darauf, nicht nach bestimmten Personen, Gruppierungen zu suchen, sondern die gewohnheitsmäßige korrumpierte Haltung und entsprechendes Verhalten im Alltäglichen aufzuspüren, sozusagen den *alltäglichen Faschismus*, der, genau beobachtet, Bände spricht.

Durch die Formulierung der zweiten Strophe: »hackt ... in die Mäulchen«, erhält der alltägliche Vorgang, den die erste Strophe erfaßt, Dimensionen. Es geht um »Aufzucht«, um Ausrichtung und Abrichtung zu bestimmten Aufgaben, denen das Attribut des Adlers die Richtung gibt. Die neue Generation, derart »versorgt«, sieht sich im Bann des alten preußischen Militarismus. Dieser zieht keine neue, keine proletarische Generation auf, sondern wiederum Raubvögel. Autokratie und Herrschaftsgebaren statt Selbstbestimmung und neues Zusammenleben schleppen sich im neuen Staat fort und drohen ihn zu untergraben – und den »Jungen« die friedliche Zukunft zu verbauen.

Heißer Tag

Eine Idylle, eine scheinbare, wie sich herausstellt: ein heißer Tag, das lyrische Ich, diesmal offenbar sehr nahe an Brechts biografischem Ich, sitzt im Pavillon, gelegen im Garten des Buckower Hauses, im Begriff zu schreiben. Die Sicht ist auf den See hin geöffnet, begrenzt durch die Weide, durch die ein Kahn ins Blickfeld kommt. Ein Bild stellt sich her, das in den folgenden Versen »festgehalten« wird. Der Vorgang des Festhaltens ist ästhetisch bedeutsam: in ihm liegt auch die negative Wertung (»Wie in alten Zeiten!«; dieser Ausruf könnte auch positiv gemeint sein).

Die Situation ist: da sitzt einer beobachtend; da geht etwas vor, das am Fortgang hindert – und deshalb auch ästhetisch am Fortgang gehindert wird. Erst verwendet das Gedicht Prädikate, dann verweigert es sie und läßt sie nur noch als Partizipien zu. Die Bewegung, die zunächst »abgebildet« zu werden scheint, erweist sich bei näherem Hinsehen als Scheinbewegung, und deshalb hält das Gedicht diese Bewegung auch sprachlich fest. Was sich da zeigt, bedeutet offenbar mehr als bloß der beobachtete Vorgang, der sich zunächst als ein vorübergehender darstellt.

Solche sprachliche Umsetzung einer (momentanen) Beobachtung in einen – gedeuteten – Eindruck entspricht filmischem Verfahren. Aus einem »laufenden Bild« wird ein Standbild, und derart festgehalten, zwingt es den Betrachter, mehr in ihm zu sehen, als es im bloßen Vorgang zeigt. Es erhält Bedeutung.

Da ist zunächst die dicke Nonne. Da ihr körperliches Attribut mit der Kleidung, sozusagen »dick aufgetragen«, identifiziert ist, verrät sie für die Zeit untypisches Aussehen und unangemessenes Verhalten. 1953, als die Amerikaner, wie es das Gedicht *Lebensmittel zum Zweck* vorführt, die DDR-Bevölkerung mit Schmalz locken konnten, zählte noch jedes Fettauge auf der Suppe. Wer dick war, fiel auf. Dadurch daß die Nonne, offenbar ohne weiteres erkennbar an äußerlichen Indizien (Kleidung, Kopfbedeckung), auch noch »dick« gekleidet ist, fällt sie doppelt auf: sie paßt sich nicht der Jahreszeit an, und sie lebt in für die Zeit ungewöhnlichem Wohlstand.

Dann der »ältliche« Mensch, von dem gemutmaßt wird, er sei ein Priester. Er trägt zwar einen »Schwimmanzug«, aber keine Badehose. Schwimmanzüge waren 1953 ebenfalls schon aus der Zeit, so daß auch sein Auftreten »unzeitgemäß« erscheint, und zwar in dem Sinn, daß etwas bereits »aus der Zeit«, das heißt: nicht mehr an der Zeit, ist.

Zuletzt das Kind, »rudernd«. Es heißt nicht, daß es rudere, nicht als Prädikat ist das Verb verwendet. Damit enthält der Vorgang eine Wertung: nicht nur in diesem momentanen Augenblick, der beobachtet wird, rudert das Kind, es rudert offenbar »immer«, und zwar »aus vollen Kräften«. Außerdem: es sitzt nicht *auf* der Ruderbank, sondern *an* ihr. An etwas gekettet sein, stellt sich als Nebensinn ein. Ist, was das Kind, das geschlechtslos bleibt, da tut, eine Art Sklavenarbeit?

Es ist das Raffinement nicht nur dieser *Buckower Elegie*, einen ganz alltäglichen Vorgang so *darzustellen*, daß er sprechende Bedeutung, gesellschaftlichen Sinn erhält. Nur wenige Zeichen sind gesetzt: das angehaltene Bild (Stillstand), das Attribut »dick«, die »verwechselte« Präposition, aber sie bewirken, daß der Gedicht-Rezipient die wiedergegebene Beobachtung als gesellschaftliches Symptom aufnimmt und einschätzt. Die Idylle verkehrt sich in ihr Gegenteil.

Um dies zu konstatieren, bedarf es keiner symbolischen Übertragung, die hier besonders in dem Sinn naheliegt, daß nämlich »alle in einem Boot« säßen, die einen aber sich fahren ließen, die anderen rudern müßten, folglich der Kahn »Symbol« für das »Staatsschiff« der DDR wäre: da das Kind, für den Arbeiter stehend, dort die Nonne und der Priester, den parasitären Überbau vertretend (nur nebenbei: Nonne, Priester waren für den DDR-Überbau untypisch, insofern wäre bei symbolischer Deutung die »Übertragung« ohnehin sehr schwierig und fragwürdig). Nein, es geht viel einfacher. Im alltäglichen Vorgang *erkennt* der (durchaus parteiliche) Blick, was sonst verborgen ist. Ist dieser Eindruck festzuhalten, so läßt er gesellschaftlich Unsichtbares bei richtiger Sehweise sichtbar werden.

Insofern ist die Feststellung »Wie in alten Zeiten!« nicht etwa eine laudatio temporis acti, ein Lob der vergangenen Zeiten, wie sie einst Horaz den Alten als ihnen naheliegende Haltung unterschob, nämlich Lobredner der Zeiten zu sein, da sie selbst noch jung waren, Sittenrichter und Tadler der Nachgeborenen. Wiederum ist – auch in dieser Elegie – die Antike nahe; wiederum aber ist sie umgedeutet. Dieser »Alte« lobt nicht die alten Zeiten; er seufzt, daß sie sich immer wieder in die neue Zeit, ihren Lauf anhaltend, ihre Bewegtheit paralysierend, hineinmogeln.

Die neue Mundart

Das Gedicht »wollte Brecht *nicht* veröffentlicht haben, laut Gespräch mit E. Hauptmann (vielleicht auch mit andern)«, vermerkt das vermutlich früheste Typoskript der Elegie (von fremder Hand). Es gehört daher zu den beiden Elegien, die erst 1980 allgemein bekanntgeworden sind. Ob die Behauptung authentisch ist oder von Elisabeth Hauptmann mehr oder minder selbständig aufgestellt wurde, läßt sich heute nicht mehr entscheiden. Der Tenor des Gedichts ist jedenfalls kaum schärfer als die »unzensierten« Gedichte wie *Nicht feststellbare Fehler der Kunstkommission* oder *Das Amt für Literatur,* die in ähnlicher Weise die Funktionärsherrlichkeit im frühen DDR-Staat anprangern. Überdies fehlen in den auf Brecht zurückgehenden Zusammenstellungen der *Buckower Elegien* die beiden zurückgehaltenen Gedichte (das zweite ist *Lebensmittel zum Zweck*) nicht. Im Kontext mit den anderen Gedichten verlieren sie ihre (sicher bewußte) Einseitigkeit und spiegeln einander. Nur ihre Vereinzelung könnte zu Mißverständnissen führen.

Das Kunstwort »Kaderwelsch« spielt an auf »Kauderwelsch«. Dies meinte zunächst die schwer oder nicht verständliche Sprache des Rätoromanischen, verallgemeinerte sich dann aber für unverständliche, verworrene, radebrechende Sprache insgesamt. Brecht nutzt die klangliche Nähe der »Kader« für seinen Neologismus aus. »Kader« heißen und hießen in der DDR die Führungseliten (statt »Avantgarde«), der »Stamm von Menschen, die aufgrund ihrer politischen und fachlichen Kenntnisse und Fähigkeiten geeignet und beauftragt sind, andere Menschen bei der Verwirklichung der gestellten Aufgaben zu führen bzw. in einem Leitungskollektiv zu wirken« (offizielle Definition).

Brechts Gedicht stellt die neugebildeten Kader-Funktionäre in den historischen Kontext. Ihre Herkunft ist »unten«, die »Tiefe«, bei Brecht ein soziologischer Begriff – wie z.B. in der *Heiligen Johanna der Schlachthöfe:* Wenn Johanna in die »Tiefe« geht, so bedeutet dies, daß sie sich zu den Arbeitern gesellt. Der historische Rückgriff verweist auf die Zeit, als die Kader-Mitglieder noch zu den Arbeitern gehörten: Sie verständigten sich mit ihren Frauen (»Weiber« darf hier entgegen männlich-chauvinistischen Vermutungen als neutraler Begriff gewertet werden) über eines der (damals) billigsten »Gewürze« der proletarischen Küche (Zwiebel- oder auch Knoblauch-Geruch galt als proletarischer »Ausweis«). Sie kannten und lebten das Leben in der Tiefe, das Brecht als »unerträglich«, aber doch notwendig »tragbar« bezeichnet. – Der »qualitative« Umschlag, herausgehoben durch das isolierte »Jetzt«, sollte eigentlich mit der Niederlage des Faschismus und der Gründung des sozialistischen deutschen Staats ein neues Leben gewährleisten. Aber anstatt dafür zu sorgen, daß wenigstens das billige Genußmittel zu haben ist, legen sich die neuen »Herrscher« eine Sprache zu, die sie von den Arbeitern, zu denen sie doch zu gehören meinen, trennt und mit großen Worten vormacht, was realiter nicht ist: der qualitative Sprung.

Es geht – zunächst – um Kommunikation, und wie sie abreißt. Offenbar spielt die Verständigung zwischen den Arbeitern sowie zwischen den Arbeitern und ihren Frauen eine wichtige Rolle beim Überleben des unerträglichen Lebens. Gegenseitiges Verständigen, sei es als Seufzer, Fluch oder Witz, also traurig oder fröhlich, schafft Gemeinsamkeit und Vergewisserung der Zusammengehörigkeit. Mit der Etablierung der Kader jedoch reißt diese

Kommunikation ab. Die Kader sprechen ihre eigene Sprache, und sie sprechen sie von oben herab: Die ehemalige
»Tiefe«, die nun vieldeutiger wird, kommt abhanden.
Statt der versprochenen Waren gibt es hohle, aber auf-
trumpfende Worte. Die Kader, die für die Arbeiter da zu
sein vorgeben, vernachlässigen sie (wie die Elegie *Lebensmittel zum Zweck* qualifiziert); und sie werden – das legen
die *Buckower Elegien* insgesamt nahe – anfällig für falsche
Lockungen und Parolen.

Die erste Strophe hat noch einen Nebensinn. Die »Zwiebel« gilt als Sexualsymbol. Die Tatsache, daß sie erst,
wenn sie »entblättert« wird, ihre »Qualitäten« entwickelt,
war bereits barocker Emblematik Anlaß, vor dem »Weh«
der (weiblichen) Nacktheit zu warnen:

> Mit Zwiebeln kann man wohl als wie mit Nüssen spielen,
> Daß unsre Augen auch ganz keine Schmerzen fühlen:
> > So lang als nämlich man ihr bleibet von der Haut,
> > Noch sich gelüsten läßt, daß man sie nacket schaut.
> So lang ein Junggesell nach seiner Jungfer freiet,
> Freut er sich, weil sie ihm gutes Wort verleihet:
> > Doch kriegt er sie zum Weib, alsdann so wird ihm weh,
> > Dieweil sich dann auch paart der Buchstab W mit E.

Wenn Arbeiter mit ihren Frauen – so wäre also der Dop-
pelsinn der ersten Strophe zu lesen – über Zwiebeln sprechen, so verständigen sie sich nicht nur über Lebensmittel,
sondern auch über Sexualität. Umgekehrt heißt dies, daß
der neue Sozialismus der Funktionärskader ein Sozialismus ohne Sinnlichkeit, einer der Ideologie, der großen,
hohlen Worte und Lehren ist, einer, der nicht zu *leben* ist.
Zum Leben gehören die Lebensmittel ebenso wie die
Sinnlichkeit, zu der denn auch die Kunst gehört.

Dies nämlich ist die dritte Lesart, die sich herausschält,
wenn man sich nicht abhalten läßt, die Zwiebel zu entblät-
tern (»Entblößt man sie aber, wird solch ein Stank erregt, /

Daß viele Tränen er uns auszupressen pflegt«). »Mund Art« ist ja auch »Mund-Kunst« (Brecht mußten seit der amerikanischen Exil solche Mehrdeutigkeiten bewuß sein). Und Kunst ist das Kaderwelsch tatsächlich: Sie stel Dinge her, sie illusioniert – im besten bürgerlichen Sinn eine »Sinnlichkeit«, die ohne materiellen Boden bleibt. E sind großtuerisch vorgetragene Illusionen, die da rege recht ausgestellt werden – mit denen sich aber nicht lebe läßt.

Wie radikal das Gedicht diesen nicht lebenswürdigen So zialismus meint, besagt die zweite Strophe. Daß einer Hören und Sehen vergehe, mag ja noch angehen, daß abe das »Essen« vergeht, entzieht die Lebensgrundlage. Un diejenigen, die ihre Realität dennoch behaupten, höre schon lange nicht mehr auf diejenigen, denen sie ihren So zialismus ohne Sinnlichkeit verkaufen wollen.

Indem das Gedicht hintersinnig Kunst thematisiert nimmt es auch Stellung gegen den herrschenden sozialisti schen Realismus in der DDR und plädiert für eine sinnli che, vergnügliche, kommunikative Kunst. Kurz: für ein volkstümliche Kunst, die auf neue elitäre Mund-Arte verzichten kann.

Große Zeit, vertan

Als Max Frisch im Sommer 1948 seinem Gast Brecht die
Neubausiedlung am Züricher Letzigraben zeigt, notiert
Brecht ins *Arbeitsjournal:* »FRISCH führt mich durch
städtische siedlungen mit drei- oder vierzimmerwohnun-
gen in riesigen häuserblöcken. häuserfronten zur sonne
gewendet, zwischen den häusern ein bißchen grün, im in-
nern ›komfort‹ (badewanne, elektrische kochöfen), aber
alles winzig, es sind gefängniszellen, räumchen zur wiederherstellung der ware arbeitskraft, verbesserte slums.«
Brecht, der angebliche Nützlichkeitsapostel und Fort-
schrittsgläubige, hat bereits am Beginn des Aufbaus nach
dem Krieg – und die Schweiz war ja nicht zerstört worden! – die Inhumanität des »modernen« Massenwoh-
nungsbaus erkannt. Wir wissen heute, daß die so stolz
errichteten und allein »Nützlichkeitserwägungen« unter-
worfenen Großbauten längst zu Slums geworden sind,
auch wenn sie bei ihrer Einweihung anders ausgesehen haben mögen. Ihre Unbewohnbarkeit hat sich erst mit dem
Bewohnen, ihrem Gebrauch, herausgestellt. Heute pfei-
fen dies die Spatzen von den Flachdächern, übrigens die
einzigen Vögel, die selbst auf Gaslaternen noch Nistplätze
einzurichten wissen; damals waren Stimmen, die sich gegen die gedankenlose Errichtung bloßen »Wohn«-Raums
richteten, rar. Brecht wendete sich gegen die »Geometrie«
der »Einheitsstallungen« und lobte den »Zufall« des »an-
archischen bauens der vergangenheit«, der neben viel
Häßlichem auch Schönes hervorgebracht hätte.

Es ist zu erinnern: 1935 schrieb Brecht das Gedicht über
die *Inbesitznahme der großen Metro durch die Moskauer
Arbeiterschaft.* Es lobt nicht nur den Zweckbau der unter-

irdischen Tunnel, es hält sich vor allem auch beim »Unnützlichen« auf, beim »besten Marmor«, bei den »schönsten Hölzern«, bei der taghellen Beleuchtung und der »Ausschmückung«, bei der keine »Mühe gespart« wurde. Der Stückeschreiber erfaßte die Reaktionen der Betrachter mit denen der Zuschauer im Theater: »strahlend« und »fröhlich« (und er dachte dabei an sein Theater). – Nach dem Krieg, als wieder an Aufbau zu denken war, empfahl Brecht mehrmals, die Architektur mit der Kunst zu verbinden, und zwar nicht so, daß die Kunst – als Alibi – dekorativ, die Verschandelungen beschönigend, eingesetzt werden sollte, sondern daß Kunst und Architektur gemeinsam, integrativ vorgehen sollten, um Bauten zu erstellen, die *für* die Menschen da wären. Auch der Sprachkunst sollte – in Form von Inschriften – dabei gedacht werden (Wandinschriften).

Das Gedicht handelt davon, daß die Hoffnungen auf menschenwürdiges Bauen sich zerschlagen haben. Es gab eine *große* Zeit, die Zeit des Neubeginns nach dem Krieg, aber sie ist nicht genützt, sondern sinnlos vertan worden. Es wird zwar gebaut, aber es wird so gebaut, daß die Beschreibungen von der Inbesitznahme der Metro nicht mehr passen. Daß das lyrische Ich feststellt, nicht hingefahren zu sein, obwohl doch gebaut wurde, besagt indirekt: Es wird überall gleich, uniform gebaut. Man braucht nicht mehr hinzufahren, weil überall alle Bauten gleich aussehen: geometrische Muster, Einheitsstallungen, womöglich aus Fertigteilen, aufgebaut in Rostock ebenso wie in Berlin, in Dessau wie in Leipzig. Für die Statistik ergeben sich »positive« Ergebnisse: Es sind neue, mehr Wohnungen da; aber wie die Statistik das Einzelne und den einzelnen nivelliert, so präsentiert sich die Uniformität der neuen (Vor-)Städte (z.B. Halle-Neustadt) schon im Kern als »statistisch«.

Aber mehr noch: In der traditionellen, bürgerlichen Geschichte gehörte auch das Volk (bzw. die Massen) *nur* in die Statistik. In ihrer Historiographie wurden lediglich die herausgehobenen »Geschichtemacher« gewürdigt, während das Volk nur Zahlen, meist Zahlen von Opfern abgeben durfte. Seiner »Weisheit« wurde nirgends gedacht. Und so bleibt es auch im neuen, sozialistischen Staat. Und wenn es so bleibt, so besagt dies, daß das Volk wiederum nicht aktiv, verändernd, neue Qualitäten schaffend am Aufbau beteiligt wird. Es macht nicht selbst Geschichte, es setzt nicht seine Bedürfnisse, zu denen auch die Bedürfnisse nach Schönem gehören, durch, sondern schafft wiederum nur statistische Daten.

»Weisheit des Volkes« hieß für Brecht die Erfahrung des Alltäglichen, gewöhnlichen, wiederkehrenden Umgangs mit den Menschen und den Dingen, eine Weisheit, die die niederen« Materialismen (heute sagt man verbrämend dazu »des Körpers« und »vergeistigt« ihn) zur Grundlage ihrer Erfahrung hatte, eine Weisheit, die sich nicht erheben konnte über die tagtäglichen Realitäten des Besorgens von Essen, Trinken, Schlafen, Wohnen, Scheißen, weil das Volk« sonst gar nicht hätte leben können. In einem Staat, der sich als neu und sozialistisch versteht, müßte der Wohnungs- und Städtebau diese Weisheit zur Voraussetzung haben, und das heißt, nicht mehr nur der »Wiederherstellung der Ware Arbeitskraft« dienen, sondern neue Lebensmöglichkeiten bieten, die die Erfahrungen des Alltäglichen berücksichtigen, sich aber nicht mehr nur auf sie beschränken. Es soll ja eine neue, *andere* Geschichte gemacht werden, die das Volk in die Geschichtsbücher als Geschichtemacher bringt. Statistik nivelliert; Geschichte jedoch bedeutet menschliche Vielfalt, Differenzierung und Fülle. Die Städtebilder zeigen, *wer* »gesiegt« hat.

Das Gedicht erfaßt den Tatbestand des Städtebaus im

71

Perfekt, nicht, wie man eigentlich erwarten könnte, im Präsens; denn der Aufbau hatte 1953 gerade erst begonnen. Das Perfekt ist doppeldeutig. Der Eingangssatz: »Ich habe gewußt«, läßt die Lesung zu, daß das lyrische Ich sich etwas bestätigt, von dem es schon (immer) gefürchtet hatte, daß es so eintreffen würde. Als nachträgliche Erinnerung und Versicherung, daß falsch begonnen wurde, stellt der Eingangssatz bereits implizit die Fortdauer des Vergangenen in der Gegenwart dar. Zugleich aber hat das Perfekt die Wirkung von Distanzierung: Das lyrische Ich schiebt den Sachverhalt von sich weg, distanziert sich, fordert – ohne Aufhebens – seine Aufhebung. Profaner formulierte Brecht auf dem vierten deutschen Schriftstellerkongreß (Januar 1956): »Bauen wir doch unseren Staat nicht für die Statistik, sondern für die Geschichte, und was sind Staaten ohne die Weisheit des Volkes!«

Eisen

Da ist zunächst das konkrete Bild, das sich dem lyrischen
Ich im Traum visionär zeigt. Ein Sturm fährt in die Gerü-
ste eines – noch unfertig zu denkenden – Baus; er reißt die
stählernen Gestelle hinunter, die offenbar den Zweck haben, spätere Bauteile zu halten (z. B. Betondecken, Tür-
und Fensterbögen). Die – wohl auch als Gerüstteile zu
denkenden – Holzgerüste und -verschalungen jedoch bleiben stehen; zwar werden sie vom Sturm gebogen, da sie
elastisch sind – im Gegensatz zu den eisernen Teilen –, geben sie nach und überstehen den Sturm.

Und dann ist da auch gleich die symbolische Übertragung: auf die Ereignisse des 17. Juni, auf den Stalinismus,
der »abgerissen«, gebrochen würde, auf die Ereignisse in
der Stalinallee, von der der Aufstand ausging, und auf die
Parallele des »Bösen Morgens«, den die gleichnamige
Buckower Elegie bereitstellt. In der Tat scheint diese
Übertragung recht eindeutig und unproblematisch zu
sein, zumal Brecht in der einzigen, von ihm überlieferten
Abschrift des Gedichts (Typoskript) »Eisernen« geschrieben hat. Stalin als der »Stählerne«, »Eiserne« mutet da wie
direkt »dingfest« gemacht an.

Ohne Zweifel ist der Bezug zum Stalinismus auf der
zweiten, das unmittelbare Bild überlagernden Bedeutungsebene gegeben. Es fragt sich nur, auf welche Weise
er konkret zu realisieren ist. Daß nämlich mit dem Sturm
der 17. Juni, der Aufstand der Arbeiter im Osten Berlins
gemeint ist, darf bezweifelt werden. Die *Buckower Elegien* enthalten insgesamt dermaßen viele Negativ-Aspekte
des 17. Juni, nämlich seinen Umschlag in eine faschistische Konterrevolution, daß er höchstens Anlaß für die Vi-

sion gewesen sein kann, nicht aber selbst gemeint. Letzteres schlösse ja den »Erfolg« des Aufstands ein; den gab es aber nicht, und schon gar nicht als (revolutionären) »Sturm«.

Das Bild des Sturms, der zu »überwinden« ist, indem man sich ihm (einverständig) anpaßt, geht zurück auf den Brecht der Lehrstücke. Im *Badener Lehrstück vom Einverständnis* findet sich das Bild mit anderen Details, jedoch mit derselben Tendenz:

> Als der Denkende in einen großen Sturm kam, saß er in einem großen Fahrzeug und nahm viel Platz ein. Das erste war, daß er aus seinem Fahrzeug stieg, das zweite war, daß er seinen Rock ablegte, das dritte war, daß er sich auf den Boden legte. So überwand er den Sturm in seiner kleinsten Größe.

Überwindung durch Anpassung, so läßt sich die Bedeutung des Bildes mottohaft zusammenfassen. Die hölzernen Teile des Baugerüsts fügen sich dem Sturm, passen sich ihm an (indem sie sich biegen), können ihn aber eben darum überstehen und folglich »überwinden«. So hat sich auch der Denkende zu seiner »kleinsten Größe« erniedrigt, um dem, dem ohnehin nicht zu entgehen ist, »einverständig« Widerstand zu leisten. Dieses »Einverständnis« mit den (geschichtlichen) Realitäten, denen »groß« entgegenzutreten bloß (sinnlosen) Untergang bedeutete, plädiert nicht für sinnlose Anpassung, für pure Affirmation. Dahinter steckt vielmehr ein – auf Francis Bacon zurückgehender – dialektischer Kerngedanke, besser: ein realistisches Denk- und Wissenschaftsprinzip. Nur der, der sich der Realität unterwirft (sich ihr anpaßt), *kann* sie auch überwinden, besiegen. Anpassung und Widerstand, Unterwerfung und Überwindung sind ineins zu sehen. Bacon begründete mit diesem Prinzip die Wissenschaften der Neuzeit; wenn auch erheblich erweitert und modifiziert, gilt es noch heute. Und es besagt: Wissenschaft *der* Natur ist nur möglich, wenn man *mit* der Natur, ihr folgend, arbeitet.

Von daher qualifiziert sich der Stalinismus neben seiner »stählernen Härte« als unwissenschaftlich, unrealistisch, starr, bewegungsfeindlich, folglich als überlebt und unnützlich. Er kann – so das Bild der Elegie – seine ohnehin nur »helfende«, vorläufige Funktion bei Belastungen (wie bei Sturm) nicht mehr erfüllen. Das visionäre Bild, das dem lyrischen Ich im Traum erscheint, nimmt den Sturz des Stalinismus vorweg – nicht als Wunschtraum, sondern als (notwendiges) Ergebnis eines historischen Prozesses, der mit dem 17. Juni eine neue Qualität erreicht hat. Um den Stalinismus zu beseitigen, dazu bedürfte es eines »großen Sturms«; wie das Motto der *Buckower Elegien* aber mitteilt, ging noch nicht einmal ein Wind.

Der Rauch

Zunächst der bildliche Eindruck, Ausschnitt aus einer Landschaft, offenbar vertraut: *das* Haus, nicht *ein* Haus, genauer lokalisiert unter Bäumen am See; eine schöne Lage, scheint man folgern zu müssen, eine Idylle: die menschliche Behausung innerhalb der Natur, glücklich in sie eingebunden. Jedoch dieser erste Eindruck bleibt nicht bestehen. Der bereits in der Überschrift annoncierte Rauch kommt hinzu: er steigt vom Dach. Das heißt: er steigt nicht in den Himmel. Dies zu betonen, ist deshalb nötig, weil der Rauch, der in den Himmel steigt, vielfache Bildmuster aufruft. Rauch kannte der antike Kultus; Rauch war in der christlichen Emblematik Zeichen für Vergänglichkeit; Rauch steht bei Nietzsche für den Nihilismus: er zieht in immer »kältere Himmel«, und Rauch war für den jungen Brecht Symbol für Trostlosigkeit, Sinnlosigkeit *(Gesang aus der Opiumhöhle)*.

Der Rauch gehört offenbar zum Haus, charakterisiert es, indem er den Bildbereich des ersten (idyllischen) Eindrucks erweitert und erheblich modifiziert. Durch den Rauch kommt Bewegung ins zunächst ganz statische Bild, und Bewegung deutet auf Lebendiges, deutet darauf, daß das Haus bewohnt ist. Er steht nicht für Vergängliches, sondern für Leben.

Der zweite Teil des Gedichts, der längere, besteht aus einer gedanklichen Hypothese, die ex negativo konstatiert, was der Rauch bedeutet: ohne ihn wären Haus, Bäume, See trostlos, wäre der ganze, doch Idyllik suggerierende Eindruck des Beginns ohne Hoffnung, ohne Zufriedenheit, ohne Glück, ohne Zukunft. Der Konjunktiv bringt Reflexion ins nur Geschaute, formuliert im (relativ) strengen Wenn-Dann-Beziehungssatz eine Sprachhaltung, die an wissenschaftlich-logische Definitionen erinnert. Die Reflexion erweitert das Bild durch Sinngebung, Interpretation. Das Bild – anders gesagt – erfüllt sich nicht im bloßen Anschauen, sondern erst in der gedanklichen »Vermittlung«, um den Begriff Hegels aufzugreifen.

Obwohl der Eindruck bereits »konkret« zu sein scheint, und zwar durch die genaue Lokalisierung des Hauses *und* durch die Ergänzung des aufsteigenden Rauchs, ist er erst ganz bestimmt durch die gedankliche Erläuterung. Wie das Haus ohne den Rauch »leblos« bliebe, so hätte auch die bloße Anschauung ohne die menschliche Vermittlung, ohne Bezug auf Menschliches, keinen Sinn. Wie das Haus, ohne bewohnt zu sein, ohne Vermittlung wäre, seine Lokalisierung also unsinnig, so gewährt erst die gedanklich reflektierte Anschauung den angemessenen, menschlich adäquaten ästhetischen Genuß. Ästhetik wird nicht durch bloßes Glotzen, sondern erst in der gedanklichen Vermittlung wahr.

Deshalb kann das Gedicht am Ende den ersten Eindruck noch einmal in bloßer Reihung wiederholen, eine Wiederholung, die bei einem so kurzen Gedicht geschwätzig scheint. Das Bild des Beginns hat sich im Vollzug des Gedichts, im Rezeptionsprozeß des Lesers, grundsätzlich gewandelt. Das wahre ästhetische Bild *entsteht* erst durch diesen Prozeß, der das Gedicht *ist*.

Vor acht Jahren

Das in den beiden ersten Versen vorangestellte Adverb »Da« zeigt sozusagen mit dem Finger auf die Zeit (vor acht Jahren), 1945 also, und auf die Personen, die Metzgerfrau, den Postboten, den Elektriker. Der erste Vers gibt sich scheinbar noch ganz unverbindlich, beinahe märchenhaft, indem die Formel des Märchenbeginns, »Es war einmal«, anklingt. Der genau markierte Zeitbezug jedoch den die Überschrift setzt, und die Tatsache, daß inzwischen alles anders geworden ist, schließt Flucht in die Unverbindlichkeit aus (da war mal etwas, es geht mich aber nichts – mehr – an). Das Vergangene ragt mitten ins Gegenwärtige hinein und bestimmt es. Das Wissen um die vergangenen Zeiten, die damalige Haltung, die Herkunft aus dieser Zeit »da« lassen nicht los.

Dieses Vergangenheitsverhältnis jedoch ist offensichtlich problematisch. Die Tatsache, daß alles anders geworden ist, enthält offenbar noch gar nicht die Garantie, daß auch die Menschen anders geworden sind. Im Gegenteil erscheinen sie belastet und »beschädigt« von dem, was hier vor acht Jahren noch ganz anders war. Der Verweis auf den deutschen Faschismus ist mit dem Jahr gegeben, als »plötzlich« alles »anders« wurde. Brecht hat das Jahr 1945 mehrfach lyrisch fixiert, als das Jahr, in dem die Menschen wieder freundlich geworden sind, soziale Einstellung gezeigt haben, sich anders gaben, neu ausstaffierten. Jedoch alle diese Veränderungen garantieren nicht, daß sich wirklich alles geändert hat. Es könnte sein, daß es nur so ausgesehen hat.

Die Metzgerin lebt im Bewußtsein der Vergangenheit ihr Beruf ist sicher ebensowenig zufällig gewählt wie der es Postboten und des Elektrikers. Der Elektriker steht für den Techniker (als Arbeiter), der Postbote für den Beamten, der eine wichtige Funktion innerhalb der Kommunikation erfüllt, die Metzgerfrau (nicht Metzgersfrau) für den Kleinbürger, der die Bevölkerung mit Lebensmitteln versorgt: typische Berufssparten also, zugleich Repräsentanten der grundlegenden Dienstleistungen. Der Metzgerberuf spielt überdies indirekt auf den Faschismus an: als Metzger und Schlächter pflegte Brecht die faschistischen Machthaber und ihre (wahren) Tätigkeiten zu qualifizieren. Das Wissen der Metzgerin besagt, daß ihr die Verbindungen ihres Berufs zur faschistischen Vergangenheit, ein (metaphorischer) Verweischarakter klar ist. Daß vor acht Jahren noch öffentlich und unter Billigung weiter Bevölkerungskreise Menschen massenhaft geschlachtet worden sind, spiegelt sich noch immer in ihrer Tätigkeit, auch wenn diese inzwischen ganz anders aussieht. Die Tatsache, daß der Postbote einen zu aufrechten Gang hat, denunziert ihn angesichts seiner Vergangenheit »vor acht Jahren«: damals ging er offenbar »zu gebückt«, hatte sich also »angepaßt«, war williger Mitläufer und Mittäter. Und die abschließende Frage nach der Tätigkeit des Elektrikers in faschistischen Zeiten ist die prinzipielle Frage nach der (demokratisch-sozialistischen) Verläßlichkeit der Menschen in anderer Zeit. Im Gegensatz zum »Einarmigen im Gehölz« werden die hier genannten Personen nicht als ehemalige SS-Angehörige kenntlich. Ihre Handlungsweisen, ihr Verhalten, das Brecht als Theatermann ja besonders genau beobachtete und wertete, lassen zumindest Zweifel aufkommen, nämlich ob sie sich womöglich nicht doch als alte Faschisten entpuppten. Der 17. Juni hat für Brecht dieses Mißtrauen zur Erfahrung werden lassen.

Der Einarmige im Gehölz

Die Elegie hält zu genauer Beobachtung an. Ein alltäglicher Vorgang wird in knappen, zum Teil parallel gebauten Sätzen geschildert. Ein Mann sucht Feuerung im Wald – es ist die Zeit nach dem Krieg, das Sammeln von Holz üblich. Da der Mann versehrt ist, macht ihm die Arbeit besondere Mühe. Brecht betont die körperlichen Anstrengungen, die mit ihr verbunden sind (schweißtriefend, mühsam, ächzend). Fast scheint es, als wollte das Gedicht so etwas wie Mitleid erwecken, wenn da nicht die Schlußpointierung wäre, die den Mann als ehemaligen SS-Schergen ausweist. Rechnete man – bis zum Schlußvers – mit dem Mitleid, so müßte – als adäquate Reaktion die Pointe nun Schadenfreude auslösen: Recht so, jetzt, in den veränderten Zeiten, müssen die Herrscher von damals sich abmühen, können die »Kinder der neuen Zeit« auf ihre ehemaligen Bedrücker herabschauen. Aber – schon dies zu formulieren, legt die Unhaltbarkeit solcher Erwägungen bloß.

Ein alltäglicher Vorgang – aber man muß ihn sehen lernen. Das Gedicht ist eine Anleitung, in den alltäglichen, völlig unbedeutend erscheinenden Verrichtungen mehr zu sehen, entschiedener noch: die verborgenen Gefahren zu sehen. Zunächst – so führt das Gedicht den Leser bis zur Pointe – haben die Mühen des Einarmigen allen Anschein der Harmlosigkeit: die körperlichen Anstrengungen scheinen ganz auf die Versehrtheit zu beziehen zu sein. Jedoch in dem Moment, in dem sich der Versehrte aufrichtet und im alten Stil die Hand hoch reckt, wird er kenntlich, zeigt er durch die Gewohnheit dieser Geste, wer er ist, ein alter Nazi.

Es gibt im Gedicht keinerlei Hinweise darauf, daß da ein (verborgenes) lyrisches Ich wäre, das bereits wüßte, daß ein SS-Mann im Gehölz Reisig sammelte. Anzunehmen, daß er Uniform oder sonstige Kennzeichen trüge, ist unsinnig, einmal ganz abgesehen davon, daß nichts Entsprechendes im Gedicht steht und deshalb auch nicht damit argumentiert werden kann. Folglich gibt es nur den einen Schluß: der Einarmige verrät sich allein durch die alte Geste des Hand-Hoch-Reckens, er wird an ihr als SS-Mann kenntlich. Das Gedicht beschreibt – ohne lyrisches Ich – in Berichtform – dieses Kenntlich-Werden eines Nazis – innerhalb einer Gesellschaft, die selbst nicht mehr faschistisch ist. Die Wichtigkeit dieser Geste zeigt sich in ihrer Wiederholung und in der neuen syntaktischen Form des Schlußsatzes an. Die Isolation der Wiederholung »die Hand hoch« durch die Versgrenze und das ausgelassene Prädikat geben der Geste auch »formal« ein demonstratives Ausrufezeichen: im alten Gruß steckt die alte Brutalität. Wenn der SS-Mann die Hand hoch reckt, dann stellt sich zumindest das dumpfe Gefühl des »Hände hoch« mit ein. Daß der SS-Mann »gefürchtet« ist (und bleibt), besagt der Schlußvers; kein Wort steht davon, daß er nur ehemals gefürchtet gewesen wäre und nun keine Gefahr mehr darstellte. Das ist zu betonen, weil die *Buckower Elegien* insgesamt als »anti-stalinistisch« gelten. Sie seien als Kritik an der SED-Regierung und ihrer Haltung zum 17. Juni geschrieben. Entsprechend pflegt man auch dieses Gedicht zu deuten. Die Zeiten, so liest man, hätten sich gewandelt, der SS-Mann sei entmachtet und müßte nun mit »großen Anstrengungen für seinen Lebensunterhalt sorgen«.

Daß der SS-Mann für seinen Lebensunterhalt sorgt, eben das darf füglich bezweifelt werden. Die Überschrift besagt – und nur dort taucht der Begriff auf –, daß er im Gehölz sich abmüht. Im Gehölz pflegt man sich zu verstecken –

etwa bei Kinderspielen (Brecht dichtete 1939: »Statt im Gehölz zu spielen mit Gleichaltrigen / Sitzt mein junger Sohn über die Bücher gebückt«). Man muß also schon genau hinsehen, wenn man überhaupt etwas davon sehen will, was da im Gehölz geschieht. Dann ist im Gedicht offenbar Sommer; jedenfalls gibt es Stechmücken, und die Temperaturen sind schweißtreibend. Im Sommer also sammelt der SS-Mann Reisig! Die beruhigende Erklärung, daß der nächste Winter bestimmt komme, stellt sich da schon mit wesentlich mehr Hindernissen ein. Der Mann im Gehölz scheint etwas im Schilde zu führen, was nur bei genauester Beobachtung – die dem Leser des Gedichts anzuempfehlen ist – kenntlich wird. Wer sagt, daß er mit dem Reisig seinen Ofen feuern will? Eine Metapher für die Nazis war aus gegebenem Anlaß der Reichstagsbrandstiftung »Brandstifter«. Im Gehölz, versteckt, verborgen, heimlich sammelt der alte Nazi Feuerung für eine neue Brandstiftung. Die Mühen, die damit verbunden sind, gehen weniger auf seine körperliche Versehrtheit zurück als vielmehr auf die Hartnäckigkeit und Verbissenheit, mit der die Schlächter von damals wieder und immer noch am Werk sind. Was der geneigte Leser zunächst mitleidig auf den »Krüppel« bezogen haben mag, stellt sich – nach genauerer Beobachtung – als Attribut der (alten) Bösartigkeiten heraus, mit denen die Nazis neue Brandstiftungen vorbereiten. Auch das »ächzende Aufrichten« sowie die anschließende Geste des »Hand hoch« erhalten damit ihren realen Sinn: Die Nazis wollen wieder hochkommen, ihre Herrschaft des »Hand hoch« und des »Hände hoch« erneut errichten. Übrigens: wie man den Gruß zu deuten hat, hielt schon John Heartfield in einer Montage vor dem zweiten Weltkrieg fest. Hitler läßt sich von der Großindustrie, die das Geld in die gestreckte, offene Hand fallen läßt, dafür bezahlen, daß er ihre imperialistischen Pläne ausführt.

Mit dieser Analyse hat sich der bisher angenommene »Sinn« des Gedichts geradezu umgekehrt, auf den Kopf, nein ist zu behaupten: auf die Füße gestellt. Die Elegie kann damit auch in die Ereignisse der Zeit eingeordnet werden. Dazu läßt sich am besten ein Brief Brechts heranziehen, den dieser am 1. Juli 1953 an seinen Verleger Peter Suhrkamp geschrieben hat. Brecht stellt da unmißverständlich klar, daß er *für* den DDR-Sozialismus ist, daß er das Eingreifen der sowjetischen Panzer begrüßt hat, daß er zur SED-Regierung steht: sie sei »nicht ihrer Fehler, sondern ihrer Vorzüge wegen« von, wie Brecht hartnäckig formuliert, »faschistischem und kriegstreiberischem Gesindel angegriffen« worden. Brecht hat mit – das Wort scheint bei ihm unangemessen – geradezu existentieller Erschütterung (er spricht von »verfremdeter Existenz«) mit angesehen, wie der berechtigte Arbeiteraufstand des 16. Juni am 17. Juni in eine faschistische Konterrevolution überzugehen drohte: »Die Straße [...] mischte die Züge der Arbeiter und Arbeiterinnen schon in den frühen Morgenstunden des 17. Juni auf groteske Art mit allerlei deklassierten Jugendlichen, die durch das Brandenburger Tor, über den Potsdamer Platz, auf der Warschauer Brükke kolonnenweise eingeschleust wurden, aber auch mit den scharfen, brutalen Gestalten der Nazizeit, den hiesigen, die man seit Jahren nicht mehr in Haufen hatte auftreten sehen *und die doch immer dagewesen waren.* Die Parolen verwandelten sich rapide. Aus ›Weg mit der Regierung!‹ wurde ›Hängt sie!‹, und der Bürgersteig übernahm die Regie. Gegen Mittag, als auch in der DDR, in Leipzig, Halle, Dresden, sich Demonstrationen in Unruhen verwandelt hatten, begann *das Feuer* seine alte Rolle wieder aufzunehmen.« Brecht verweist auf die Brandstiftung im Kolumbushaus, die ihn an die des Reichstags von 1933 erinnert, er verweist auf die erneuten Bücherverbrennungen, nämlich auf die der Bücher von Marx, Engels, Lenin, er verweist auf das Verbrennen der roten Fahnen: »Heute wie damals hatten nicht Arbeiter das Feuer gelegt: es ist nicht die Waffe derer, die bauen.« In einem späteren Brief, diesmal an Paul Wandel, vermerkt Brecht seine Sorge, daß die Arbeiterschaft in tödlicher Gefahr sei, »von einem neu erstarkenden Faschismus in einen neuen Krieg geworfen zu werden«: »Wir haben unsern eigenen Westen bei uns!«

Wenn auch Briefe keine direkte Beweiskraft für die Analyse eines Gedichts bzw. einer Gedicht-Gruppe haben können, so ergeben sich aus der Gleichzeitigkeit von Brief- und Gedichtentstehung (Sommer 1953) doch so handfeste Korrespondenzen, daß sich mit den Briefen die vorgeschlagene Lesart absichern läßt. Nachweisbar jedenfalls ist die »Feuer«-Metapher (Brecht benutzt sie im Brief an Suhrkamp noch ausgiebiger, z.B. in den »anfeuernden« Reden des »kassierten« RIAS), nachweisbar ist auch Brechts Einschätzung der Ereignisse, seine Furcht vor dem Faschismus *in* der DDR, der auf einmal »aus dem Gehölz bricht« und »feuert«. Damit kann vielleicht auch verständlicher werden, warum Brecht der SED-Regierung seine »Verbundenheit«, die lange als Ergebenheitsadresse mißverstanden worden ist, bestätigt hat. Der Faschismus mußte, so jedenfalls Brechts offenbare Auffassung, mit allen Mitteln bekämpft werden.

Aber auch ohne diese »Hilfsfakten« legt das Gedicht von sich aus, durch seine Ästhetik, diese Lesart nahe. Ist man erst einmal aufmerksam darauf geworden, wie genau die wenigen Sätze den Einarmigen kenntlich machen, wie sie ihn an seinen scheinbar alltäglichen Verrichtungen und Gesten »brandmarken«, so kann es kaum Mißverständnisse geben. Beschrieben ist der Vorgang des »Erhebens«; am Ende steht – gleichsam erstarrt (weil verblos) – die alte

Geste, die durch die vergangene Geschichte mit blutrün-
stiger Wirklichkeit gefüllt ist: Die Ästhetik des Gedichts
realisiert seinen adäquaten Inhalt.

Die Wahrheit einigt

Brecht schickte die Elegie Mitte August 1953, also gleich nach ihrer Entstehung, an den Minister für Volksbildung der DDR, Paul Wandel, mit den Worten: »ich schicke Dir ein Gedicht, das ich nicht veröffentlichen will, sozusagen zu innerem Gebrauch. Die Wahrheit, die wir unserer Arbeiterschaft sagen sollten, ist meiner Meinung nach: daß sie in tödlicher Gefahr ist, von einem neu erstarkenden Faschismus in einen neuen Krieg geworfen zu werden; daß sie alles tun muß, die kleinbürgerlichen Schichten unter ihre Führung zu bringen. (Wir haben unsern eigenen Westen bei uns!) Kurz, wir dürfen nicht wieder den Kopf in den märkischen Sand stecken!« Das Gedicht ist eine Aufforderung an die Freunde, genauer: an die als »Freunde« bezeichneten Funktionäre, freilich sehr zurückhaltend formuliert, im Irrealis: das lyrische Ich läßt mit seinen Konjunktiven Zweifel aufkommen, ob die Freunde tatsächlich die Wahrheit wissen, und, wenn sie sie wissen, auch sagten. Der Wunsch selbst bleibt doppeldeutig: Er hat appellative Funktion und kritisch-zweifelnde zugleich, ist Aufforderung mit resignativem Nebenton.

Die quasihistorischen Hinweise haben konträren Belegcharakter. Die Cäsaren, die üblichen Herrscher-Figuren der Geschichte berufen sich vage auf eine vage Zukunft: allgemein gesagt, daß es schon irgendwie »besser« werde. Lenin liefert das Gegenbeispiel, daß nämlich in solcher Lage – und die Lage erscheint in diesem Gedicht sehr ernst – nur noch Handeln helfen kann; Abwarten wäre schon zu gefährlich. Die literarische Bestätigung gibt das Gedicht-Zitat von Alexander Twardowskij. Es verallgemeinert und verschärft zugleich, indem es scheinbar eine

Frage formuliert, um dann eine Feststellung abzugeben, die (wiederum scheinbar) keine Lösung mehr zuläßt. Eben dies ist die gegenwärtige Lage, und deshalb kann nicht mehr gefragt werden. Die Fehler, die Tatsachen müssen eingestanden sein, und es muß eingestanden sein, daß es kein Entrinnen geben wird, *wenn nicht* die Aktion kommt. Dieses Eingeständnis der Wahrheit, so formuliert es die Überschrift, bringt Einigung (gegen den Neofaschismus).

Das Gedicht ist literarische Interpretation seines Zitats, des »Liedleins«, auf das sich – wie auf Lenin – der Sozialismus stolz beruft. Es ruft reale Erfahrungen auf und zeigt zugleich auf die Rolle der Literatur. Sie weist auf Widersprüche hin, deckt sie auf und folgert daraus die Notwendigkeit zum Handeln.

Rudern, Gespräche

Die Elegie läßt sich in mancher Hinsicht als Pendant zu *Heißer Tag* lesen. Dort wird ein Bild angehalten; hier bleibt die Bewegtheit des Vorübergleitens bewahrt. Dort rudert ein Kind, während zwei ältere Menschen unbeschäftigt herumsitzen; hier rudern zwei junge Menschen, während sie miteinander kommunizieren. Dort sind die älteren Menschen unangemessen für Jahreszeit und Wetter gekleidet; hier sind die Menschen nackt. Dort ist offenbar heller Tag; hier ist bereits der Abend gekommen – und doch »geht es weiter«. Dort – so darf man vorsichtig schließen – verbringen Menschen die Tageszeit (als Arbeitszeit) sinn- und nutzlos; hier setzen Arbeitende nach der Arbeitszeit ihr Tätigsein sinn- und nutzvoll fort.

»Rudern, Gespräche«: bereits die Überschrift setzt die widersprüchliche Einheit von körperlicher Tätigkeit und »geistiger« Auseinandersetzung, wobei es übrigens kaum stören darf, daß das »Rudern« eigentlich nicht der adäquate Ausdruck ist. Geht man nämlich von den Booten als Faltbooten aus, so müßte »Paddeln« stehen. Offenbar wollte Brecht die verbale Verbindung zu *Heißer Tag* annoncieren und zugleich ein anti-naturalistisches Zeichen setzen. Diese widersprüchliche Einheit, die Einheit aus »Gegensätzen«, realisiert das Gedicht auf kunstvolle Weise: durch Parallelismen und Chiasmus, die »Überkreuzstellung«. Die zwei jungen Leute sitzen nicht in *einem* Boot (wie die Personen von *Heißer Tag*); die doppelte Spitzenstellung von »Zwei« – die Germanistik nennt die rhetorische Figur »Anapher« – unterstreicht den Sachverhalt sinnfällig. Er wird noch einmal herausgehoben durch die Wiederholung – allerdings geringfügig variiert – des

»Nebeneinander«, das die beiden folgenden Sätze einleitet bzw. abschließt. Beide Sätze sind in umgekehrter Reihenfolge geordnet: nebeneinander – rudern – sprechen: sprechen – rudern – nebeneinander. So entsteht ein doppelter Chiasmus, der – läse man ihn rein logisch – nur zweimal sagt, was bereits einmal gesagt zu sein scheint, daß nämlich zwei junge Menschen miteinander sprechen, während sie nebeneinander rudern. Im Sinn dieses Gedichts jedoch ist diese prosaische Übersetzung der beiden Schlußsätze nicht ausreichend. Soll die chiastische »Wiederholung« Sinn haben, so muß sie offenbar mehr besagen als den bloß sichtbar-sinnlichen Eindruck des vorübergleitenden »Bildes«.

Die Einheit, die das Gedicht am Ende herstellt, soll sich nicht in vollkommener Harmonie auflösen: als *Zustand* glücklicher Verbundenheit. Sowohl die »Teile« der Einheit als auch die menschlichen Tätigkeiten, die sie garantieren, bleiben differenziert erhalten. Es handelt sich nicht um »ruhende« Harmonie, sondern um eine, die durch körperliche wie geistige Tätigkeit *und* durch zwischenmenschliche Kommunikation entsteht und nur durch die andauernde Fortsetzung von Gedankenaustausch und Tätigsein garantiert ist. Es handelt sich folglich um eine Einheit, die durch das Gleichgewicht körperlicher und geistiger Arbeit stets neu hergestellt werden muß, die deshalb auch immer neu auf »Arbeit« verweist, freilich eine Arbeit, die offenbar als angenehm empfunden wird (das Kind in *Heißer Tag* rudert »aus vollen Kräften«).

Darüber hinaus weist das Gedicht auf den Zusammenhang von Praxis und Theorie. Die Praxis ist zu reflektieren, wie die Theorie praxisorientiert sein sollte: stupides Abarbeiten (aus vollen Kräften) verpönt das Gedicht ebenso wie »abgehobenen« Intellektualismus. Die, um es hegelsch zu sagen, Vermittlung zwischen Theorie und

Praxis gewährleistet erst angemessenes Handeln sowie glückliches Voranschreiten, Fortschritt.

Die Ästhetik des Gedichts ist zunächst wiederum von einem bildhaften Eindruck bestimmt. Ein – diesmal – anonymer Beobachter erfaßt ein in Bewegung befindliches und bleibendes Bild (»Vorbei gleiten«); in der konkretisierenden Beschreibung, die die körperlichen *und* geistigen Handlungen wiederholend betont, ergeben sich Bezüge, die das bloße Bild, den vorbeigleitenden Eindruck, überschreiten. Ohne daß explizit gesagt würde, worauf sich die Überschreitung des Bildes bezieht, lagern sich in ihm gesellschaftliche Bedeutungen ein, die weiterweisen. Ihre Konkretion leistet der Rezipient, wenn er den »dialektischen« Sinn des Gedichts am eigenen Handeln realisiert.

Lebensmittel zum Zweck

1952 und 1953 verteilten die Amerikaner in Westberlin Millionen von Paketen mit Lebensmitteln an die »ostzonale« Bevölkerung. Tatsächlich reisten die Menschen aus der gesamten Republik an, und eine Notiz Brechts hält fest, daß an einem Wochenende, laut Bericht der »Berliner Zeitung«, wiederum zwei Millionen Lebensmittelpakete abgeholt worden seien. Der Begriff »Völkerwanderung« scheint demnach nicht übertrieben zu sein.

Brecht nennt die Verteiler »Söhne McCarthys«. Mit Joseph J. McCarthys Namen verbindet sich der us-amerikanische Antikommunismus, der noch in den letzten Kriegsjahren »ausbrach«, um dann bis in die Mitte der fünfziger Jahre hinein als »McCarthyismus« nicht nur in den USA zu wüten (die Adenauer-Gesellschaft betrieb z.B. nach dem amerikanischen Muster ihren eigenen Antikommunismus). Brecht hatte den Antikommunismus noch in den USA am eigenen Leib zu spüren bekommen, als er im September 1947 vor den »Ausschuß zur Untersuchung unamerikanischer Betätigung« zitiert wurde.

Joe McCarthy (1909-1957) sollte in den frühen fünfziger Jahren den Antikommunismus noch entschiedener prägen – im Zusammenhang mit dem »kalten Krieg« sowie dem Niedergang des sogenannten »Eisernen Vorhangs«. Man sprach – in Erinnerung an mittelalterliche Praktiken – von regelrechten »Hexenjagden«. McCarthys Söhne stellen demnach die nach Deutschland exportierten Antikommunisten dar. Sie exekutieren auf militante Weise, was McCarthy gerade im eigenen Land durchsetzt.

Obwohl die Lebensmittelaktionen in hohem Maß angenommen und begrüßt worden sind, läßt Brechts Elegie an ihnen kein gutes Haar; im Gegenteil. Die ersten beiden Verse betonen – neben der lässigen Haltung, die Brecht die »Besatzer« einnehmen läßt – die Militanz der Aktion sowie ihren falschen, scheinheiligen Lockcharakter. »Schmalz« meint zunächst konkret die Lebensmittel, dann aber auch die amerikanische Kultur. »Schmalzig« waren nicht nur die Pomade der Jazzer und Rocker der Zeit, sondern auch die seichten Kulturprodukte, die massenhaft in die DDR geschwemmt wurden: die Schlager, vor allem aber die Heftchen, seien es Western, Krimis (an John Kling erinnert sich der Kommentator), oder seien es Liebesgeschichten (der Stella, der Lore) und Landserromane; es gab zu dieser Zeit eine regelrechte »subkulturelle« Bewegung, die die Trivialprodukte massenhaft einschleuste.

»Völkerwanderung« ist ein feststehender historischer Begriff, der die Ausdehnungsbewegung der Germanen (vor allem) in den Jahren 375–568 bezeichnet; verbunden mit ihr ist die »Germanisierung« ehemals romanischer Gebiete sowie die »Rettung« des »Abendlandes« vor dem Einbruch mongolischer bzw. »vandalischer« Stämme. Brecht ruft mit diesem Begriff die historische Erinnerung auf und deutet die Vorgänge vor der historischen Folie. Die Amerikanisierung Europas ist folglich gemeint, und die »Rettung des Abendlandes« gilt diesmal der Abwehr des Bolschewismus. Auffällig und merkwürdig ist das Attribut »unendbarem«. Brecht will offenbar die Lesung »unendlich« – im Sinn von unüberschaubar – ausgeschlossen wissen. Unendbar scheint endgültig, auffallend absolut, geschichtslos. Diese Qualifizierung enthält bereits die Verachtung, die Brecht den Völkerwanderern entgegenbringt. Die zweite Strophe verschärft das Urteil noch.

Diese Strophe übersetzt den ersten Vorgang in ein Bild. Der historische Vorgang wird mit ihm – filmisch gesprochen – überblendet, gedeutet und verallgemeinert. Das Kälberbild hat bei Brecht Tradition:

> Hinter der Trommel her
> Trotten die Kälber
> Das Fell für die Trommel
> Liefern sie selber.
>   Der Metzger ruft. Die Augen fest geschlossen
>   Das Kalb marschiert mit ruhig festem Tritt.
>   Die Kälber, deren Blut im Schlachthof schon geflossen
>   Sie ziehn im Geist in seinen Reihen mit.

Der brave Soldat Schweyk singt das Lied in Brechts antifaschistischem Stück, und zwar nach der Melodie des Horst-Wessel-Marschs, des SA-Lieds, das die Nazis als zweite Hymne im Angedenken an den heroisierten Zuhälter Wessel etabliert hatten. Vor dem Hintergrund des Faschismus, der ja mit Hitler besiegt schien, erhält die Elegie eine bitter-anklagende Tendenz: Nicht nur daß die Aktionen der Amerikaner denen der Nazis gleichgesetzt werden, sondern daß auch die Deutschen als prinzipiell unbelehrbar erscheinen. Trotz der schmachvollen Vergangenheit, trotz übelster Erfahrungen lassen sie sich erneut dazu verführen, denjenigen, die ihnen einmal die Haut abziehen werden, wie es das Gedicht behauptet, schmeichelnd auf das verlockende Schmalz zu kriechen.

Diese, in ihrer politischen Einschätzung überraschend eindeutig urteilende Elegie läßt einzig eine objektive, das Urteil einschränkende Voraussetzung zu, nämlich daß die Kälber vernachlässigt sind. Kein Verständnis markiert sich da, wohl aber das Eingeständnis, daß die objektiven Voraussetzungen schlecht sind. Lebensmittelknappheit, Demontage, funktionärs-gesteuertes »Volkseigentum« (etc.) verführen zu neuer Verführung.

Die lange unbekannt gebliebene Elegie ist politisch eindeutig tendenziös: ein sehr weitgehender Kommentar zur

Zeit, der den Amerikanern mit ihrem Antikommunismus die Fortsetzung des Faschismus unterstellt. Sie wirkt, ohne den Kontext der Sammlung, möglicherweise radikal und einseitig; im Kontext der *Buckower Elegien* dagegen gehört sie zur Bestandsaufnahme einer Zeit, in der sich spätere weltpolitische Verkrustungen abzuzeichnen begannen.

Bei der Lektüre eines spätgriechischen Dichters

Brecht und die Tradition: Es lag nahe, im spätgriechischen Dichter einen antiken Dichter zu vermuten, zumal der Inhalt den antiken griechischen Mythos, den klassischen *Ilias*-Stoff anspricht. Lange Zeit mußten die Deutungen rätseln; Vorschläge wurden gemacht, keiner wurde angenommen, bis sich herausstellte, daß die Suche in der Antike umsonst war. Brechts Lektüre galt Konstantinos Kavafis (1863–1933). Eine Übersetzung seiner Lyrik durch Helmut von den Steinen war 1953 gerade im Suhrkamp Verlag erschienen. Brecht fand dort folgendes Gedicht:

TROER

Unsre Bemühungen, die von Schicksalsduldern,
Unsre Bemühungen sind wie jene der Troer.
Stückchen richten wir grade, Stückchen
Nehmen wir über uns und beginnen,
Mut zu haben und gute Hoffnungen.

Immer doch steigt etwas auf und heißt uns stillstehn.
Aufsteigt in dem Graben uns gegenüber
Er, Achill, und schreckt uns mit großen Schreien. –

Unsre Bemühungen sind wie jene der Troer.
Kühn gedenken wir, mit Entschluß und Wagmut
Fallenden Schlag des Geschickes zu ändern,
Und wir stellen uns draußen auf zum Kampfe.

Aber sobald die große Entscheidung nahkommt,
Geht uns der Wagmut und der Entschluß verloren,
Unsere Seele erbebt, fühlt Lähmung,
Und in vollem Kreis um Mauern laufen wir,
Durch die Flucht zu entrinnen bestrebt.

Dennoch ist unser Fall gewiß. Dort oben
Auf den Mauern begann schon die Totenklage.
Unsrer Tage Erinnerungen weinen, Gefühle weinen.
Priamos bitter um uns und Hekabe weinen.

Ein eingehender Vergleich mit Brechts Gedicht wäre reiz-
voll; er soll aber dem Leser selbst überlassen bleiben. Die
Anregung, um es zurückhaltend zu formulieren, ist deutlich genug. Und mit der Identifikation der Quelle erhält
das Attribut »spätgriechisch« seinen spezifischen Sinn.
Brecht meint nicht die untergegangene späte Antike des
einstmals »klassischen Griechenland«, sondern die Spät-
zeit des gegenwärtigen, monarchisch regierten, insgesamt
aber bürgerlich-kapitalistischen Griechenland. Es ist also
angebracht, in »spätgriechisch« »spätbürgerlich« mitzule-
sen.

Brechts Gedicht macht einen merkwürdigen Eindruck.
Bei vielmaligem Lesen, ohne Wissen um die Quelle, stellte
sich (bei mir) häufiger und intensiver eben der Eindruck
ein, der die Troer bei ihren Ausbesserungsarbeiten leitet:
Zuversicht und gute Hoffnung. Da gibt es kein Sich-Erge-
ben ins Schicksal; aktiv stemmen sich die Troer gegen ihren Untergang, nehmen sie ihn nicht einfach hin. Im Kontext von Brechts sonstiger Lyrik und seinem Gesamtwerk
ließe sich der Eindruck bestätigen. Brecht war es, der
trotz der Siege des Faschismus, auch als er die ganze Welt
bedrohte und endgültig zu siegen schien, Zuversicht, Aktion, gute Hoffnung verbreitete. Und der Schlußvers, abgesetzt als eigene Strophe, könnte auch so zu lesen sein,
daß die Troer das gute, klassische Beispiel für Optimismus
abgeben.

Jedoch das Gedicht will eine andere Lesung. Die Überschrift gibt mit ihrem Attribut das erste Zeichen, und der
erste Vers stellt die Gewißheit des Untergangs klar. Da es

hier um den »mythischen Fall« geht, der – das zeigt die einversige Schlußstrophe – nur Folie für andere »Fälle« ist, muß das Unwiderrufbare dieser Gewißheit akzeptiert werden. Im griechischen Mythos war es das unerschütterliche Fatum, das sich mit Hilfe der Götter und Menschen vollzog und dem niemand entgehen konnte. Trojas Fall war danach schon vor Beginn des 10jährigen Kriegs zwischen Griechen und Trojanern beschlossene Sache, und die *Ilias* des Homer brauchte die Geschichte gar nicht bis an ihr Ende zu erzählen. Im antiken Epos standen die göttergleichen Helden als Repräsentanten ihrer jeweiligen Gemeinschaft für diese ganz ein. Wenn Achill den Hektor erschlägt, so ist im Sieg des Griechen bereits der Untergang des ganzen Troja präfiguriert. Nach antiker Vorstellung also war die Gewißheit des »Falls« verbindlich. Nur menschliche Verblendung oder Hybris konnten glauben, dem Fatum entgehen zu können. Und dies macht diesen Fall zu einem besonderen Fall. Wenn *auch* die Troer noch an Zukunft, Errettung glaubten, den Schutz durch ihre Holztore gewährleistet sahen, so wiegen ihre »gute Hoffnung«, ihr Mut doppelt schwer.

»Stückchen« rücken die Troer gerade, und zwar in ihren als unüberwindlich geltenden Holztoren. Die dreimalige Wiederholung des Worts, die sogar zu einem identischen »Reim« führt (Verse 3 und 4), deutet unmißverständlich auf Stückwerk. Wie illusionär jedoch diese Ausbesserungsarbeiten sind, demonstriert erst die Ironie des trojanischen Falls. Die Holztore spielten beim Sieg der Griechen überhaupt keine Rolle. Odysseus, der listenreiche, hatte das Holzpferd, in dem die Griechen in die Stadt eindrangen, so groß bauen lassen, daß es nur durch die Niederlegung der Mauer nach Troja zu bringen war. Die Griechen wußten um die Unüberwindbarkeit der Holztore. Durch einen Trick vermochten sie sie einfach zu umgehen. Ihre Schutzfunktion stellte sich so als nutzlos heraus. Kassandra, die Seherin, war die einzige, die den griechischen Trick durchschaut hatte. Niemand wollte ihr glauben; und das Ende des ruhmreichen Troja war fürchterlich wie der Tod Hektors durch Achill.

Brechts Gedicht blickt anläßlich der Lektüre von Kavafis' Gedicht zurück: »Auch die Troer also ...« Die Schlußstrophe erscheint wie eine seufzende Bestätigung für die Gewißheit eines aktuellen »Falls«, dem kaum glaublicher Optimismus, ihm zu entgehen, korrespondiert. Historisch Überlebtes will sich nicht geschlagen geben. Im Kontext des Jahres 1953 und im Kontext der Sammlung spiegelt sich im mythischen Fall der überwunden geglaubte Faschismus, dessen Aktivitäten (»Mut« und »gute Hoffnung«) Brecht am 17. Juni am Werk sah. Das Gedicht gibt sich überzeugt, daß der Faschismus zusammen mit dem Spätbürgertum auf die Dauer keine Überlebenschance hat.

Aber – die Schlußstrophe gibt falschem Mut und falscher Hoffnung *breiten* Raum und *viel* Zeit.

Tannen

Die beiden ersten Verse, zugleich der erste Satz des kurzen Gedichts, halten einen (scheinbar) immergültigen Sachverhalt fest, nämlich daß die Tannen in der Frühe kupfern seien, nicht bloß so aussähen. Brecht formuliert also nicht einen visuellen Eindruck, den man durch das rötlich-strahlende Sonnenlicht des Morgens verursacht sehen könnte. Er gibt vielmehr eine Sachaussage über die Beschaffenheit der Bäume »in der Frühe«. Bereits damit ist der erste Satz mehrdeutig geworden. Zunächst verweist die Sachaussage unwillkürlich auf den sie verursachenden »Eindruck« zurück; denn Tannen sind ja eigentlich nicht »kupfern«, und wenn sie sich schon mit einem stehenden Attribut verbunden haben, dann mit dem des »Immer-Grün«. Außerdem spezifiziert die Zeitbestimmung den Sachverhalt als zwar immergültigen, dennoch aber auch vorübergehenden. Nur in der Frühe sind die Tannen kupfern; was, wie sind sie später? Damit ist auch »Frühe« bereits ein schillernder Begriff geworden: handelt es sich um Tageszeit oder Lebenszeit, bezieht sie sich auf den Baum oder auf den, der den Sachverhalt konstatiert? Schließlich formuliert die »kupferne Tanne« als »hölzernes Eisen« einen Widerspruch in sich, und man ist herausgefordert zu fragen, ob das »Kupferne« auf anderes hinweist.

Die vier letzten Verse bilden wiederum einen Satz, der einen Gegensatz zum ersten Satz beschreibt. Der Sachverhalt wird durch ihn aufgehoben und zugleich spezifiziert. Was immergültig bzw. immer wiederkehrend schien, zeigt sich jetzt als offenbar endgültig vergangen. Zugleich gibt sich ein Rezipient, ein lyrisches Ich, zu erkennen, das die Zeitbestimmung auf sich, seine Lebenszeit bezieht (die

Möglichkeit, die »Frühe« auf die Tageszeit zu beziehen, bleibt aber weiterhin erhalten). Der zunächst absolut gesetzte Sachverhalt verkehrt sich in eine – beim Wort genommene – Ansicht; bestimmte Voraussetzungen der Rezeption erst stellen den Sachverhalt her; ohne diese Voraussetzungen »sind« die Tannen nicht kupfern (sondern irgendwie anders). Die Voraussetzungen lassen sich bestimmen: der Rezipient war jung und ohne die Erfahrung von zwei Weltkriegen und ohne die Erfahrung des Alterns. Als Zeitpunkt läßt sich, faßt man das lyrische Ich biografisch auf, das Jahr 1903 (oder grober die Zeit zwischen 1905 und 1914) fixieren. Brecht meint folglich recht eindeutig die Zeit der Kindheit, die noch spielerische, künstliche Verwandlung von »Gegebenem« zuließ. Und in dieser Fähigkeit, mit »jungen Augen« etwas ganz anders aussehen zu lassen, so daß es das »Andere« *ist*, scheint in erster Linie der Sinn der Feststellung im ersten Satz zu liegen. Sie wird im dialektisch-doppeldeutigen Sinn »aufgehoben«, negiert und konserviert zugleich. Wie das »kupfern« selbst zu qualifizieren sei, ob es symbolisch auf »Kriegerisches« sich bezieht, erscheint dagegen sekundär. Das Gegebene in neue (»Seins«-)Gegebenheit zu verwandeln, Natur »aufzuheben« oder in (sich ausschließende) Widersprüchlichkeit zu versetzen, ist die Qualität des kindlich-verändernden Blicks, der sich eine eigene künstliche, »unrealistische« Welt schaffen darf und kann.

Diese Fähigkeit ist für den älteren Menschen prinzipiell verlorengegangen; er kann sie nur als Erfahrung bewahren. Dadurch daß Brecht parallel setzt: »Vor einem halben Jahrhundert / Vor zwei Weltkriegen«, macht er deutlich, daß es nicht um den allgemeinen (biologischen) Alterungsprozeß geht; nicht um »grundsätzliche Erfahrung« des Alters. Die Weltkriege »füllen« den Zeitraum, ihn näher kennzeichnend, »aus«: politisch-soziale Erfahrungen,

bestimmbar am Ausmaß und an den Leiden der *Welt*kriege, haben »die Welt« grundlegend geändert. Ihr Ausmaß
war global: ihrer Wirkung hat sich niemand entziehen
können. Mit ihnen ist nicht nur die »biologische« Kindheit aufgehoben, auch die Kindheit der Menschheit ist
endgültig vorbei. Von *diesen* Erfahrungen vermag sich nur
der Ignorant zu befreien, der damit allerdings die Mög-
lichkeiten eines neuen – und Brecht wußte: letzten –
Kriegs mit bereitet. Die Weltkriege haben Welt-Anschau-
ung von Grund auf geändert: es gibt keinen »Ausbruch«
mehr in künstliche, kindlich-phantastisch geschaffene
»Welten«. Die Kriege haben die Welt geprägt, und deshalb muß mit *dieser* Welt gerechnet werden – auch in der
Dichtung. Der elegische Rückblick bewahrt die »junge«
Erfahrung auf; die Weltkriegserfahrung negiert sie für alle
Zeiten – für wirklich *alle*.

Der Himmel dieses Sommers

Das Demonstrativum fixiert deutlich den Zeitpunkt: Sommer 1953. Da waren die Erfahrungen der Bombardements durch anglo-amerikanische Flieger noch frisch ebenso wie die Erfahrung, daß der Hauptleidtragende der modernen Kriege die Zivilbevölkerung geworden ist. Dem Krieg ist nicht mehr zu entgehen, und heutige modische Sprüche wie »Stell dir vor, es ist Krieg, und keiner geht hin« entlarven nur die beinahe zynische Ahnungslosigkeit derer, die in ihnen Widerstand formuliert sehen. Der Krieg kommt – auch zu denen, die nicht hin wollen. Und er kommt, wenn nichts gegen ihn unternommen wird. Das aber, daß so schnell schon wieder die Möglichkeit zum Krieg »erwogen« wurde, wie 1953, war Brechts Sorge. »Mehrere Stunden lang«, schrieb Brecht an seinen Verleger Peter Suhrkamp in *diesem* Sommer, »bis zum Eingreifen der Besatzungsmacht, stand Berlin am Rande eines dritten Weltkriegs.« Wenn der Himmel des Sommers 1953 immer noch oder schon wieder mit Bombern besetzt ist, ist auch die Gefahr nahe.

Das Gedicht formuliert keinerlei Wertung oder Anteilnahme; es konstatiert, scheinbar fern, unbeteiligt, lediglich sachlich beobachtend. Und dennoch stellt sich der Eindruck her, als stünde im zweiten Satz ein »besorgt« oder »entsetzt«. Jedoch: Kinder, Frauen, der Greis schauen nur. Alle drei Generationen sind vertreten; aber die Männer fehlen, und 1953 weiß man warum. Die Bedrohung ist umfassend; wenn der nächste Krieg kommt, gibt es für keine Generation mehr Zukunft.

Der dritte Satz, es ist bereits der letzte, kann zu Mißverständnissen führen. Er formuliert ein scheinbar »natürliches« Bild: junge Stare, schwarze Vögel, elegant fliegend, suchen sich Futter. Aber auf wen beziehen sie sich? Vom Bomber ist nur im Singular die Rede, wohingegen die nach ihm schauenden Menschen im Plural erscheinen und folglich grammatisch das Bild auf sie zu beziehen wäre. Das ergäbe jedoch keinen Sinn: der explizit benannte Vergleich stimmte nicht.

Somit verallgemeinert das »Natur«-Bild die Beobachtung. Was diesem einen Bomber gilt, gilt offenbar mehreren, vielen. Die Bomber sind präsent. Daß sie jungen Staren gleichen, ist keine Beruhigung, im Gegenteil. Die Ortsbestimmung »Von weitem« enthält bereits den Irrtum: es scheint nur so. Und umgekehrt – dafür wählte Brecht offenbar das Bild – macht es etwas anschaulich, was *so* nicht zu sehen ist. Die Stare holen sich ihr Futter, und sie sind jung, haben gegenüber den Generationen der Schauenden Zukunft, ja allein Zukunft. Das heißt: das »Natur«-Bild läßt die Bedrohung erst ganz aufscheinen. Es gibt nicht nur diesen einen Bomber, der da beobachtet wird und dessen Zeuge der anonym bleibende »Berichterstatter« ist. Die Bomber fliegen nicht »für sich hin«, sondern haben eine Zweckbestimmung; und ihnen gehört die Zukunft (»wenn nicht …«). Die Nahrung, die die jungen Stare (bildlich) suchen, auf die Menschen zu beziehen, die die Bomber beobachten, ist dann nur noch der folgerichtige »letzte« Schritt: »Kanonenfutter« lautet der »stimmige« Begriff.

Auch in diesem Gedicht läßt sich ein Bezug zur Antike vermuten, den aufzusuchen, die formale Nähe der Schlußverse zum Hexameter (und dessen Schluß) herausfordert. Aus dem Vogelflug Zukünftiges zu prognostizieren, war eine der Aufgaben der Priester in der griechischen und römischen Antike. Außerdem liebten es die alten Götter, sich in allmögliche Tiere zu verkleiden (auch in Vögel), um den Menschen unbemerkt nahezukommen. Der moderne Dichter aktualisiert alte, mythische Bilder, um mit ihnen neue Bedrohungen zu deuten. Der antike Zusammenhang gibt diesen ihre Wucht.

»Das große Carthago führte drei Kriege. Es war noch mächtig nach dem ersten, noch bewohnbar nach dem zweiten. Es war nicht mehr auffindbar nach dem dritten.«

Bei der Lektüre eines sowjetischen Buches

Das Buch, das Brecht in Übersetzung las, heißt *Ein Strom wird zum Meer*, geschrieben von Wassili Galaktionow, dem Chefgeologen des Stalingrader Wasserkraftwerks, und von Anatoli Agranowski, einem sowjetischen Journalisten. Es handelt sich um einen dokumentarischen Roman, der dem Muster des von Sergej Tretjakow entwickelten »Bio-Interviews« folgt. Der – geschulte – Journalist leiht sozusagen dem Spezialisten die Feder. Der Geologe erzählt von seiner Arbeit, seinem Wissen, seinem Leben; der Journalist gibt den Berichten die angemessene literarische Form, hier die des Romans, eines Romans freilich, der nicht mehr das »sich ausdrückende« Individuum ins Zentrum stellt, sondern die Arbeit, das gemeinsame Werk. Das Buch erschien 1952 erstmals (auch in deutscher Übersetzung) und erzählt von den bis 1951 entstandenen Kanalisierungen bzw. Aufstauungen der russischen Flüsse. Der Stalingrader Stausee war damals noch Projekt. Mit seiner »Vision« schließt das die technischen Leistungen der Sowjetunion enthusiastisch feiernde Buch. Es endet mit den Sätzen:

> Im Frühlingskleid prangt die Erde und im Glanz der Morgenröte bricht der junge Tag an. Die funkelnden Sonnenstrahlen treffen ein gewaltiges Standbild, das weit im Meer auf einer Landzunge errichtet worden ist. Hier scheint der größte aller Menschen unmittelbar aus den blauen Fluten emporgestiegen zu sein, dessen Genie alles geschaffen hat, was hier emporwuchs – der Mann, der früher als alle anderen auch diesen Freudentag vorausgesehen hat.

Der sozialistische Edelkitsch gilt J. W. Stalin. Und da mag es verwundern, daß Brecht ausgerechnet zu dieser Quelle gegriffen und ein durchaus positives Gedicht geschrieben hat, das den Hinweis auf Stalin durch den Namen des Stalingrader Staudamms explizit enthält. Stalingrad – das war 1953 noch im unmittelbaren Bewußtsein – war als entscheidende Wende im zweiten Weltkrieg Symbol für den »positiven« Stalinismus geworden. Und so muß man denn wohl auch diese Elegie als Pendant zur Stalinkritik der anderen *Buckower Elegien* ernstnehmen. Brechts Kritik ist nicht ausschließlich, absolut; sie würdigt auch die »Errungenschaften«, die, die bereits vorlagen, und die, die noch Projekte waren. »Stalin« hieß nicht nur Stillstand oder gar Regreß zu alten, absolutistischen Herrschaftsformen, vielmehr verband sich für Brecht mit seinem Namen auch technischer Fortschritt, Zukunft. Die etwa zeitgleichen Stalin-Gedichte formulieren ebenfalls diesen Widerspruch:

> ALS DER HELFER erschien, war er
> Aussätzig. Aber der Aussätzige
> Half doch.

Mit anderen Worten: Bei aller Kritik, den die *Buckower Elegien* am Stalinismus formulieren, bleibt die sozialistische Zukunftsperspektive stets gewahrt. Vermutungen, daß die Gedichte aufrührerisch, gar umstürzlerisch seien, bestätigen sich kaum.

Die Vermenschlichungen der Flüsse, ihre Zuordnung nach Verwandtschaftsgraden geht unmittelbar auf die sowjetische Vorlage zurück. Die Verfasser Galaktionow und Agranowski schließen sich damit der »volkstümlichen« Redeweise an und setzen sie konsequent »poetisch« um. Im Volkslied hieß es:

> Die rote Sonne läßt sich nicht zwingen,
> Der Mond am Himmel läßt sich nicht zwingen,
> Auch Mütterchen Wolga, unsere Ernährerin

> Mütterchen Wolga läßt sich nicht zwingen,
> Ihren Lauf zu ändern ...

Aus diesem Sprachgebrauch entwerfen Galaktionow und Agranowski folgende vermenschlichende Schilderung, der sich Brecht anschließt:

> In der Ferne erkennt man den Stalingrader Staudamm. Die flammende Morgenröte hat ihn in ein leichtes Rosa getaucht; er scheint gar nicht hoch, und wenn man ihn aus einiger Entfernung betrachtet, auch gar nicht sehr breit zu sein. Am betonierten Wasserüberfall ist die letzte Verschalung entfernt worden, das letzte Pfeilerfeld ist geschlossen – und die Wolga, die Große Wolga, macht verwundert vor dieser Mauer halt. Völlig verdutzt erstarrt die listige »Kriegerin« für einen Augenblick.
> [...]
> »Was ist dort los? Warum die Stockung?« fragen ganz erstaunt die Oka und Kama, die Tschussowaja und Wjatka, alle siebentausend großen und kleinen Töchter des riesigen Flusses und schicken dem Mütterchen Wolga immer neue Ströme von ihrem Frühlingswasser zu Hilfe. Doch sie steht vor einem unüberwindlichen Betonhindernis, einer gewaltigen, neuen, massiven Mauer und ihre Wellen rennen vergeblich gegen die Böschung des Staudamms an, lösen sich in weißen Schaum auf und ziehen sich verzagt zurück.

Die Auflösung der »volkstümlichen« Vorstellung, die den Fluß mit der Unerreichbarkeit der Gestirne verglichen hat, vollzieht sich in der volkstümlichen Metaphorik. »Mütterchen« Wolga wird wutentbrannt ihre neue Rolle erfüllen und die von Menschenhand erbauten Turbinen betreiben. Im Vergleich mit der Vorlage läßt sich gut beobachten, wie Brecht sein Gedicht und seinen Inhalt aus dem Text entwickelt bis in die Übernahme von Formulierungen. Jedoch sind auch die Unterschiede kennzeichnend. Brecht vermeidet es, von der »Mutter« und von der »Ernährerin« explizit zu reden. Ihr »Bild« ergibt sich in der Konsequenz der Verwandtschafts-Metaphorik. Brecht weitet die Metaphorik – entgegen der Vorlage – auf drei Generationen aus (»Enkelinnen«), und zugleich bezieht er als »Stiefkinder« die Kaspischen Niederungen ein: Sie, die bisher vernachlässigten und »nicht-natürlichen«, nicht-»leiblichen« Kinder, werden die eigentlichen Nutznießer sein, indem sie nun vom Wasser abbekommen. Damit nimmt Brecht eine ganz entscheidende Umwertung vor. »Mütterchen« Wolga, die Ernährerin, wird im Gedicht erst mit Hilfe der menschlichen Technik, des Staudamms, zur »richtigen«, das heißt, »sozialistischen« Ernährerin. Das Attribut kommt ihr nicht von »Natur« bei – so die alte volkstümliche Vorstellung –, sie erhält es erst, wenn sie auch für die (bisherigen) »Stiefkinder« da ist. Die »Niederungen« werden innerhalb der anthropomorphisierten Darstellung »sprechend«: erst wenn die »Niederen«, die Arbeiter, die armen Bauern versorgt sind, erfüllt der Fluß seine ganze Aufgabe. Brechts Gedicht wehrt mit der Umdeutung auch die – in der Vorlage ausgeprägte – Technikverherrlichung ab. Die Technik hat keinen Selbstwert, sondern steht im Dienst der Ernährung; sie sorgt für die Grundnahrungsmittel, ohne die es »höheres« Leben nicht gibt. Nach der Ausblutung des Landes durch den Krieg war dies zunächst eine der Hauptaufgaben.

Formuliert ist das Gedicht in der Sprache klassisch-antiker Mythendarstellung; deutlich sind durch die sich reihenden Daktylen Hexameter-Anklänge zu hören. Der Vergleich mit dem »listenreichen« Odysseus tut dazu ein übriges. Dem sozialistischen Aufbau ist »große Sprache« angemessen. Die edle Sprache, »vordem reserviert der Verherrlichung der Könige«, bringt die »Niederungen« zu Wort, und zwar in der Dimension des großen antiken Mythos; freilich nicht um ihn und seine Anschauung zu bestätigen, vielmehr sie neu zu deuten. Die »Große Wolga« wird als teuflisch-spürsinniger Odysseus von den Sowjetmenschen bezwungen werden. Odysseus unterliegt; die »Niederungen« siegen.

Die Kelle

Das lyrische Ich sieht sich im Traum als Maurer, als typischer Arbeiter. Die Formulierung »Ich war / Ein Maurer« läßt darauf schließen, daß – für die Zeit des Traums – vollständige Identifikation gegeben ist, so daß das »Ich« nicht nur gerade einmal die (ihm fremde) Arbeit aufnimmt, sondern während der Arbeit von dem anonymen Schuß überrascht wird. Der Schuß ruiniert, indem er von der Kelle das halbe Eisen wegreißt, das Handwerkszeug des Maurers; halbzerstört ist es unbrauchbar geworden. – Als Traum eingeführt, endet die epische Schilderung des Vorgangs unausgesprochen mit dem bösen Erwachen. Das Ich, das natürlich nicht unmittelbar mit Brechts »Ich« gleichzusetzen ist, kehrt in seine Wirklichkeit zurück. Indem es lyrisch den geträumten Vorgang erzählt, darf dieser auch auf die reale Tätigkeit des lyrischen Ichs übertragen werden: von der Hand- auf die Kopfarbeit.

Ansatzpunkte zur Interpretation dieses Gedichts, das sich ganz auf die Wiedergabe des bloßen Vorgangs zu beschränken scheint, liefert der vorletzte Vers. Ist zunächst bloß von »einer« Kelle die Rede, so heißt es nun, daß der Schuß »mir« von »meiner« Kelle das halbe Eisen wegriß. Das »mir«, ein Dativ, der possessiven Charakter hat, jedoch besser als »ethischer Dativ« zu qualifizieren ist, gibt sich auf den ersten Blick als überflüssig: es reichte ja aus zu sagen, daß der Schuß von »meiner« Kelle das halbe Eisen wegriß. Der ethische Dativ kündigt innere, gefühlsmäßige Beteiligung des Sprechenden an, so etwa wie bei der Mahnung »Sei mir ja vorsichtig, mein Kind, wenn du allein fortgehst« (o. ä.). Die Kelle ist nicht irgendeine, sondern es besteht zu ihr eine »innere«, weiterweisende Bindung, die sich nicht allein auf den bloßen Besitz bezieht (was ja »meine« genügend ausdrückte). Gibt es diesen Bezug, so ist er in der Qualität der Arbeit, die durch den Schuß behindert bzw. beendet wird, zu konkretisieren. Wenn die Zerstörung des Arbeitsmittels, folglich die Behinderung der Arbeit »mir« – das lyrische Ich betreffend – gilt, dann ist die Arbeit auch eine Arbeit, die »mir« zugute kommt und deren Verhinderung »mir« schadet. Kurz, die Arbeit ist keine entfremdete Arbeit, sondern Arbeit für die Arbeiter.

Ist dieser Sachverhalt erst einmal präpariert, so lassen sich die zeitgenössischen Bezüge herstellen. Das lyrische Ich sieht sich offenbar in der Rolle eines der Arbeiter, von denen der Aufstand des 17. Juni ausgegangen ist. Ihre Arbeit ist – nach dem Gedicht – produktiv, sie gilt dem Aufbau des Sozialismus. Das bedeutet auch: alles, was dieser Arbeit nützlich ist, ist auch gutzuheißen und zu fördern. – Der Einbruch geschieht anonym, und je nach politischer Einstellung beziehen die Interpreten den »Schuß« auf das Eingreifen der sowjetischen Panzer oder auf den Versuch »von faschistischem und kriegstreiberischem Gesindel«, wie sich Brecht gegenüber Peter Suhrkamp ausdrückte, den berechtigten Arbeiteraufstand in einen faschistischen Putsch zu verwandeln. Es ist hier nicht der Ort, diese widerstreitenden Lesungen aufzuheben. Aus dem Kontext der Elegien liegt die zweite Lesung näher, obwohl auch sie nicht die antistalinistische Kritik ausschließt: denn die Arbeiterinteressen erkennt das Gedicht mit besonderem Nachdruck – durch die identifizierende Rolle des lyrischen Ich – an.

Darüber hinaus erhält die »Kelle«, die – was bis jetzt nicht beachtet worden ist – in der Überschrift steht, einen gewissen Symbol-, besser: Emblemcharakter. Zu erinnern ist an die Embleme des neuen Staats, an Hammer und Sichel. Das »ethisch« und »possessiv« ans lyrische Ich gebundene Produktionsmittel bedeutet in solchem Kontext mehr: insgeheim ist das gesamte Spektrum des »Volkseigentums« angesprochen, der Besitz an den Produktionsmitteln *und* die Arbeiter für sich selbst (ohne traditionelle kapitalistische Entfremdung). Der Versuch der Arbeiter, die Brecht als die eigentlich Produzierenden vorführt, wird durch die Ereignisse des 17. Juni gefährdet, wenn nicht gar ganz vereitelt (es sei denn, es geschieht wirklich etwas).

In einer weiteren Bedeutungsebene handelt das Gedicht auch von der Arbeit des Schriftstellers, des Dichters. Bemerkenswert ist schon, daß das lyrische Ich zur Rollenidentifikation mit dem Arbeiter überhaupt fähig ist und alles, was dem Arbeiter geschieht, auch auf sich bezieht. Zugleich läßt sich der gesamte Vorgang übertragen, ohne daß man nun in der Kelle das Schreibzeug etc. symbolisch verborgen sehen müßte. Der Vorgang spiegelt sich. Das bedeutet: die Arbeiter liefern nicht nur die materiellen Voraussetzungen für die Arbeit des Dichters, der Dichter versteht seine Arbeit auch im Zusammenhang und im Austausch mit der materiellen Arbeit. Ist sie behindert oder in Frage gestellt, so trifft ihn der »Schuß« ebenso wie den direkt betroffenen Maurer der Stalinallee. Insofern plädiert das Gedicht insgeheim auch für eine neue sozialistische Dichtung.

Beim Lesen des Horaz

Auch der plane, buchstäbliche Sinn des Gedichts bereitet oft Schwierigkeiten. Vom »Vorübergehen« ist die Rede, von den dann doch eintretenden Veränderungen in der Geschichte. Vom »bekannten« Brecht aus scheint das Plädoyer für Veränderung klar: auch das einschneidendste, die ganze Welt überziehende und bestimmende Ereignis wird vergehen, und es werden neue Zeiten beginnen. Von daher scheint Veränderung zur Rechtfertigung zu werden, ein Thema, das – noch während des Faschismus – den Stücke- und Gedichteschreiber oft beschäftigt hat, im Rat an den Sohn, im Rat an die Freunde auszuharren, sich nicht der gewalttätig aufgeblasenen Niedertracht zu unterwerfen, indem man die Hoffnung auf Änderung aufgibt. Daß Änderung kommen würde, eben darauf baute die Kraft des Widerstands auch dann noch, als alle äußeren Kennzeichen, der vorwärtsstürmende Faschismus, die ganze Welt mit seinem Krieg überziehend, dagegen sprachen. Sind sie vergangen, die schwarzen Gewässer, dann scheint sich die Hoffnung als die widerständige Grenzüberschreitung positiv eingelöst zu haben. Aufatmen, freudiges Gelöstsein müßte die, wie man sagt, zwangsläufige Folge sein. Aber eben da erfolgt der Einwand, der die solchermaßen verabsolutierte Veränderung (um jeden Preis) sogleich in Frage stellt: es ist die Frage nach den Opfern, die zugleich – als heilsam erinnernder Ausruf – an die Überlebenden abgegeben wird: wenige sind es, die übrigblieben; läßt es sich von daher rechtfertigen, daß die Sintflut vergänglich ist, als Beruhigung darüber, daß doch alles vorübergeht?

Die Frage an die Überlebenden nach den Opfern reißt den Abgrund auf, der als zu erledigende Vergangenheit Veränderung um jeden Preis verneint und ihnen – als den wenigen – die Pflicht auferlegt, nicht nur die Erfahrung der Geschichte zu verarbeiten, sondern auch mit ihr jeden Rückfall, jede Veränderung, die Sintfluten möglich macht, zu verhindern. Veränderung meint nicht abstrakt: wenn überhaupt Änderung ist, ist schon alles gut; Veränderung meint konkret: es muß eine sein, die keine (menschlichen) Opfer kostet – und wenn: dann wenigstens nur *wenige*, damit die *Vielen* übrigbleiben. Mit der Frage nach den Opfern ist das Naturereignis, wenn man die Sintflut überhaupt so nennen kann, zum historischen Ereignis geworden, zur Kennzeichnung der umfassenden Katastrophe, deren bloßes Vorübergehen kein Trost sein darf.

Die Überschrift *Beim Lesen des Horaz* scheint das Gedicht als Gelegenheitsgedicht auszuweisen. Die Lektüre des auf Brecht verschieden wirkenden und oft von ihm berufenen Dichters bestimmte als äußerer Anlaß das lyrische Gebilde, wobei – dies ergäbe sich aus der Gelegenheit – das Bild von der Sintflut dem Werk des antiken Dichters entstammen müßte. Man hat denn auch bei Horaz, dessen Durchhalteparolen, daß es süß sei, für das Vaterland zu sterben, Brecht ebenso abgestoßen haben, wie ihn seine Satiren und Oden vor allem anzogen, gestöbert, ohne aber fündig zu werden. Der antike Dichter konnte mit der Sintflut nichts anfangen (das Angebot, Brecht habe aus Nonchalance nur Horaz genannt, in Wahrheit aber Ovids *Metamorphosen* gelesen, wo die mächtigen Fluten schwellen, sollte man nehmen als das, was es ist: als schlechten Witz, bestenfalls). Bliebe also lediglich der »äußere Anlaß« der antiken Dichtung selbst, die sich – wie Horaz meinte – zum »Mal dauernder noch als Erz« schuf (»exegi monumentum aere perennis«), sich irrtümlich zum Unvergänglichen zählend. Nach dieser Lesart negierte Brecht die antike Hoffnung. Der buchstäbliche Sinn jedoch, vor allem der unmittelbare Einsatz des Gedichts, läßt die übertragene Bedeutung als ersten Schritt nicht zu. Das adverbielle »Selbst« – mit dem Hauptton – als Beginn verweist auf die Lektüre unmittelbar: sogar die Sintflut als das einschneidendste Ereignis der alten Welt verging. Ist dies ein Einwand gegen Horaz – oder eine von ihm übernommene Schlußfolgerung, die bestätigend in die neue Welt übertragen wird? Beide Lesungen sind möglich, und die Suche nach der Sintflut bei Horaz ist sinnlos: diese muß es ja bei ihm gar nicht geben, einen Auslöser nur, der auf die Sintflut verweist; alles andere wäre ein naturalistisches Mißverständnis.

Es gibt solche Auslöser bei Horaz, z.B. die Ode *An Oktavian* (*Carmina* I, 2), in der die über die Ufer getretenen Fluten des Tiber mit dem Bild der Kriegsgreuel und mit dem Bild der »durch Väterschuld gelichteten Jugend« verbunden ist, um dann in der Gestalt des Augustus die neue Zeit herbeizurufen – aber Brecht in bloß philologischer Manier verbaliter festzulegen hieße, das neue Gedicht *nur* auf das alte zu verpflichten.

Indem aber Dichtung Anlaß zu Dichtung wird, ist Dichtung auch – über den buchstäblichen Inhalt hinaus – thematisiert, und insofern hat – in einem weiteren Schritt – der Hinweis, daß *auch* nach der Dauer von Dichtung gefragt ist, sein Recht. 1953 Horaz zu lesen ist nicht selbstverständlich: die Tatsache verweist darauf, daß Dichtung die Zeiten – scheinbar unbeschädigt – überlebt, also vom Wechsel der Zeiten, von Veränderung unberührt scheint. Indem aber die Lektüre des antiken Dichters zum gelegentlichen Anlaß genommen wird, die eigene Zeit zu befragen, zeigt sich ein neuer Gebrauch von Dichtung: sie führt nicht aus der Zeit, ist kein – wie immer geartetes –

Versenken in die Vergangenheit oder die Welt der Dichtung, sondern ein waches, auf die eigene Zeit bezogenes Aufnehmen, das sich in *neuer* Dichtung niederschlägt. Der Gebrauch, den das Gedicht selbst von Dichtung macht, stellt es als die Zeiten überdauerndes Gedicht selbst in Frage. Es geht um die Selbstaufhebung von Dichtung, die sich eben darum auch bewahrt, insofern Aufhebung nicht nur Negation meint. Die Dichtung stellt sich an der Wirklichkeit in Frage und reiht sich in die Vergänglichkeit ein: da aber mit dem Gedicht auch der Opfer gedacht wird, trägt es bei zur »Erledigung der Vergangenheit« und gewinnt daraus seinen Geschichte transzendierenden Sinn. Die Klassiker wie Horaz überleben den Wandel der Zeiten deshalb, weil sie zum Fortschreiten der Menschheit beigetragen haben, und zwar auch und vor allem deshalb, weil sie *Gelegenheitsgedichte, Kommentare* zur Zeit, zu den Sintfluten, geschrieben haben.

Die Form des Gedichts kann die inhaltliche Deutung bestätigen. Auf den ersten Blick präsentiert sich die Elegie als moderne, in Gedichtzeilen gebrochene Prosa ohne spezifische Formgebung (Form des Inhalts). Hans Mayer hat jedoch darauf aufmerksam gemacht, daß die beiden letzten Verse zusammengenommen an antikes Versmaß anklingen, genauer: an den Schluß des Hexameters, des klassischen epischen Verses, der auch im Distichon, dem Vers für Epigramm und Elegie, verwendet wurde. So also wäre zu lesen:

> Freilich, wie wenige
> $- \cup \quad - \cup / - \cup \cup$
> Dauerten länger!
> $- \cup \cup / - \cup$

Vom Hexameter wären demnach vier Versfüße realisiert (statt sechs), drei Daktylen ($- \cup \cup$) und ein Trochäus ($- \cup$), der den Abschluß des Hexameter-Verses markiert. Mayers Hinweis läßt sich jedoch noch präzisieren. Antikem Ohr war die Silbenfolge von: – ◡ ◡ / – ◡ besonders wohlklingend, weshalb man auch verbot, den fünften Daktylus des Hexameters so wie die vier vorangehenden zum Trochäus zu verkürzen: nur so konnte der daktylische Charakter des langen Verses erhalten und der wohllautende Schluß hörbar bleiben. Die Griechen nannten diese Fünf-Silben-Folge »Adoneus«. Da Brecht die beiden letzten Verse »gebrochen« und nicht zu einem (verkürzten) Hexameter vereint hat, tritt der Adoneus des Schlußverses stärker hervor als der hexametrische Charakter der beiden Verse, wobei angemerkt sein muß, daß das gesamte Gedicht durch wiederkehrende Daktylen (»Dauerte«, »schwarzen Gewässer« u. a.) ausgezeichnet ist. Hat man den Adoneus aber erst einmal präpariert, so ist zu erkennen, daß auch der dritte Vers des Gedichts metrisch aus einem Adoneus besteht:

Einmal verrannen

– ◡ ◡ – ◡

Nicht nur inhaltlich, sondern auch formal treten die beiden wichtigsten Aussagen des Gedichts »Verrinnen« – »Überdauern« in spannungsreiche Korrespondenz.

Damit ist der Beweis erbracht, daß Brecht nicht an den Hexameter gedacht hat, sondern an die (Sapphische) Ode, die Horaz in seinen *Carmina* häufig verwendet. Die Sapphische Ode zeichnet sich dadurch aus, daß ihr Schlußvers nur aus einem Adoneus besteht. Hinzu kommt, daß der Wechsel von daktylischen und trochäischen Versfüßen für die Ode charakteristisch ist. Die Form dieses auf den ersten Blick recht formlosen Gedichts ist also die einer zitierten Sapphischen Ode im modernen Gewand. Die Form löst ihren Inhalt vollkommen ein. Die

Frage nach dem Überdauern von Menschen ist auch eine Frage nach der Dauer von Dichtung; die Antworten auf die Fragen jedoch verweisen auf die Zeit, ihre Wandlungen. Nur in der Zeit kann sich Dichtung bewähren, nicht in überzeitlich autonomem Sein – der Opfer wegen, der zu vielen.

Laute

Brecht soll, konfrontiert mit dem Einwand, es wären doch überall Vögel zu hören, zunächst geschwiegen, am Abend dann aber freundlich und verschmitzt repliziert haben: »Ich bin kein Ornithologe.« Damit war die Sache erledigt – für ihn. Der Leser aber bleibt weiterhin mit der merkwürdigen Kausalerklärung beschäftigt: Da die Gegend vogellos sei, höre das Ich nur Laute von Menschen rührend. Die Natur scheint ausgeblendet zu sein; aber wie soll das angehen, wenn die Menschen sich offenbar »in der Natur« aufhalten? Erst im Herbst, es ist Sommer, besetzen die Krähen die Pappeln.

Symboldeutungen hätten hier freie Bahn. Der Herbst, die Zeit der Ernte? Die Silberpappeln, in einer Elegie bereits als »Schönheit« tituliert *(Böser Morgen)*, stünden für Kunst, die Krähen für Raubvögel, die ihr zusetzten? Undsoweiter. Naheliegender ist doch wohl, Brecht und das Gedicht beim Wort zu nehmen. Brechts vielleicht rätselhaft anmutende Antwort besagt zunächst, daß es ihm nicht darauf ankam, »naturgetreu« oder »richtig« zu sein. Anders gesagt: das Gedicht gibt sich deutlich als Konstrukt zu erkennen, das seine eigenen Regeln hat, in diesem Fall nämlich die Möglichkeit, eine Gegend für »vogellos« zu erklären. Und ist man erst einmal soweit, fällt auf, daß das »Da« nicht eindeutig als Kausalkonjunktion fixiert ist, sondern auch ein lokales Relativpronomen bedeuten kann (im Sinn von »wo«, einen Ort, eine Ausnahme, anzeigend). Die menschlichen Laute besetzen zu einer bestimmten Zeit die »Natur«, ja setzen sich quasi an ihre Stelle. Die menschlichen Laute heben für eine Zeitlang die »Natur« auf bzw. verdrängen die natürlichen

Laute, den Gesang der Vögel. Solcherart »besetzte« Natur empfindet das lyrische Ich als Zustand der Zufriedenheit. Die Natur ist durch die Menschen »behaust«; sie steht ihnen – offenbar für Genuß – zur Verfügung. Das – wohl fröhlich vorzustellende – Treiben der Menschen in der Landschaft und am See zeigt ein zufriedenstellendes menschliches Verhalten in der Natur an. Immerhin: 1953 konnte man also wieder Natur genießen. Und das lyrische Ich sieht sich nicht mehr so abseits, so isoliert.

Als bewußt gesetztes Konstrukt handelt das Gedicht zugleich von Poesie. »Laute« ist doppeldeutig. Es kann sich um – wie immer geartete – von Menschen stammende Geräusche handeln (Stimmen, Lachen, Weinen), aber auch um Laute von Instrumenten, die die Menschen spielen. Es fällt auf, daß Brecht nicht schreibt, »Laute von Menschen stammend«, sondern »Laute von Menschen rührend«. Sie können direkt, indirekt sein, sie »rühren« an, haben also Sentiment, bringen aber auch »Rühren«, Bewegung, ein. Nicht nur machen sich die Menschen in der Natur breit; auch ihre Kunst besetzt und verdrängt – jedenfalls über eine bestimmte Zeit hinweg – die Natur. Die künstliche Lautung ersetzt die natürliche, ohne in unaufhebbaren Gegensatz von Kunst und Natur zu verfallen. Die von den Menschen vorübergehend »behauste« Natur setzt sich im Herbst, als wäre das ein paralleler Vorgang, zu ihrer »Besetzung« wieder durch. Statt der Menschen sind es dann die Krähen, die in der Natur hausen. Die Kunst hat ihre Zeit. Und nichts besagt, daß das lyrische Ich *nur* mit den menschlichen Lauten zufrieden wäre.

Nachwort zur Edition

Die *Buckower Elegien* sind, obwohl Brecht so alt nicht geworden ist, typische Alterslyrik: weise, distanziert, lakonisch und im klassischen Sinn »naiv«, innerhalb der deutschen Literatur vergleichbar nur mit Goethes *West-östlichem Divan*. Einfaches, das schwer zu machen ist; Verständliches, das sich mit wiederholter Lektüre der Verständlichkeit entzieht; Anschauliches, Natürliches, das sich zunehmend als reflektiert erweist. Die Sammlung entstand 1953, ist Reaktion auf die Ereignisse des 17. Juni desselben Jahres, geschrieben im Sommer, in Buckow, am Schermützelsee in der Märkischen Schweiz, im Haus unter Bäumen am See.

Die Gedichte der Sammlung wurden zunächst im Zusammenhang des politischen Anlasses ihrer Entstehung als bloße Zeitkommentare verstanden und deshalb als Dichtung kaum beachtet. Es benötigte Zeit und die Distanziertheit der Rezipienten, sie in ihrer Fülle, Schönheit und Rätselhaftigkeit zu entdecken und zu erschließen. Bis heute sind nur Anfänge gemacht, und die Tatsache, daß die Sammlung, noch ehe sie überhaupt in ihrem ganzen Umfang vorlag, zum meistinterpretierten Zyklus Brechts geworden ist, belegt nur die Vieldeutigkeit der Gedichte, aber auch ihre »interpretatorische Ergiebigkeit«. Es gibt kaum ein Gedicht der *Elegien*, zu dem nicht die kontroversesten Auffassungen vorlägen – und alle haben gewichtige Gründe für sich. Daß dies so ist, liegt in den Gedichten selbst, in ihrer Qualität.

Brecht hat vor seinem Tod innerhalb der *Versuche* sechs Elegien publiziert: *Der Blumengarten; Gewohnheiten, noch immer; Rudern, Gespräche; Der Rauch; Heißer Tag;*

Bei der Lektüre eines sowjetischen Buches. Der Vorspruch
sagt: »Die *Buckower Elegien,* von denen sechs hier abge-
druckt sind, gehören ebenfalls zum 23. Versuch. Sie wurden im Sommer 1953 geschrieben.« Mit zum 23. Versuch
gehören *Weite und Vielfalt der realistischen Schreibweise*
sowie die *Chinesischen Gedichte:* die Weite dieser Extre-
me, zwischen *reiner* Poesie und politischem Kommentar
in lyrischer Form, und die Vielfalt ihrer Aspekte, zwischen alt und neu, Ferne und Nähe, Ost und West, kenn-
zeichnen die *Buckower Elegien,* und zwar beinahe jede
einzelne von ihnen. – Brechts Zusammenstellung wurde
kurz nach seinem Tod im *Zweiten Sonderheft* von *Sinn
und Form* noch einmal wiederholt. Die übrigen Gedichte
edierte Elisabeth Hauptmann – bis auf zwei – in zwei
Etappen: 18 Gedichte im Band 7 der *Gedichte,* vier
»Nachträge« in deren 8. Band. Zwei Gedichte, *Die neue
Mundart* und *Lebensmittel zum Zweck,* blieben bis 1980
unbekannt. Gerhard Seidel edierte sie zuerst in der Zeit-
schrift *Sinn und Form.* In eine Brecht-Ausgabe kamen sie
erst mit den Supplement-Bänden zu den *Gesammelten
Werken,* 1982. Eine Einzelausgabe gab es 1964 in der In-
sel-Bücherei; sie umfaßte die bis dahin bekannten 22 Gedichte, wobei das Motto stets als ein Gedicht mitgezählt
ist. Die vorliegende Ausgabe ist die erste vollständige Edition des Zyklus.

Daß sie so spät erfolgt, hat wenig mit den Gründen zu
tun, die häufig spekulativ geäußert worden sind. Ganz offensichtlich – so zeigen es entsprechende Notierungen auf
den Typoskripten – war Brecht es selbst, der einige Elegien nicht publiziert sehen wollte. Er fürchtete (zurecht)
Mißverständnisse, Mißinterpretationen. Elisabeth Hauptmann, die sich als Vollzieherin des letzten Willens verstand, publizierte die Gedichte unter Berücksichtigung
von Brechts Wünschen. Die *Werkausgabe* übernahm spä-

ter Hauptmanns Edition, und zwar indem sie die beiden Teilpublikationen des Zyklus – nach dem Vorbild der Einzelausgabe – zusammenstellte. Da diese Ausgabe nicht historisch-kritisch verfuhr und verfahren wollte (und konnte), blieb der alte Umfang, blieben aber auch die Fehler bewahrt.

Eine Überprüfung der vorliegenden Editionen am Nachlaßmaterial ergab, daß nicht nur einige Gedichte des Zyklus Fehler (auch schlichte Abschreibfehler) aufweisen, sondern auch daß die Anordnung der Gedichte *nicht* derjenigen Brechts folgt. Zwar ist eine verbindliche Reihenfolge *aller* Gedichte durch Brecht nicht überliefert, die von ihm zusammengestellten Typoskripte jedoch lassen seine Vorstellung für die Anordnung der Gedichte gut erkennen. Die zwei umfangreichsten Mappen, die Mappen BBA 153 und BBA 357, haben im Prinzip die gleiche Anordnung, nur daß die Mappe BBA 357 einige Gedichte sammelt, die die Mappe BBA 153 nicht enthält, und einige wenige Gedichte regelrechte »Waisen« darstellen. Da sich wenigstens gruppenweise die Reihenfolge der beiden genannten Mappen auch noch in der Mappe BBA 97, die ebenfalls auf Brecht selbst zurückgeht, spiegelt, ist eine (relativ) verbindliche Reihenfolge, die sich auf Brecht *direkt* berufen kann, ohne weiteres rekonstruierbar. Dabei ist auffällig, daß die beiden, von Elisabeth Hauptmann zurückgehaltenen Elegien in allen drei Mappen integriert sind, und zwar nicht in direkter Spiegelung – wie sie sich jetzt in der Nachlaßpublikation geben.

Die Rekonstruktion der Brechtschen Anordnung ist das zweite wichtige Kennzeichen der vorliegenden Edition. Es ist bekannt, wie wichtig Brecht sogenannte Äußerlichkeiten nahm, Äußerlichkeiten, die bis in die Wahl der Schrift und des Umschlags gingen. Die Anordnung ist daher integraler Bestandteil des Zyklus. Brecht wollte durch die Zusammenstellung dem einzelnen Gedicht sein Gewicht nehmen, das es isoliert beansprucht; zugleich aber gab sie ihm Raum zu vielfachen Brechungen und Spiegelungen, die beileibe nicht in bloßer Antithetik oder »dialektischer« Einheit der Gegensätze aufgehen. Die *Buckower Elegien* lassen von daher noch einen weiten Spielraum für die Interpretation.

An wichtigsten Fehlern der bisherigen Ausgaben soll kurz genannt sein: Der »Straßenrand« in der Elegie *Der Radwechsel*; er ist eine Erfindung der Ausgaben, folglich (wohl) ein Schreibfehler; alle Typoskripte, auch die fremder Hand (z.B. der Ruth Berlaus) schreiben »Straßenhang«; der Unterschied ist nicht ganz unbeträchtlich. Ob das lyrische Ich in *Heißer Tag* die Schreibmappe auf den »Knien« oder auf den »Knieen« hat, ist bei Lyrik ebenfalls nicht ganz ohne Belang: es handelt sich immerhin um den Unterschied einer Silbe. Oder das erste »Nebeneinander« in *Rudern, Gespräche;* Brecht schreibt stets auseinander: »Neben einander«; erst im Schlußvers ist die »Harmonie« ganz hergestellt, und deshalb steht dort »nebeneinander«. Hierbei handelt es sich ganz offensichtlich um »Verbesserungen« von Elisabeth Hauptmann, die als Redakteurin der *Versuche*-Ausgaben der späteren Zeit normalisiert hat. Brechts Typoskripte jedoch weisen eindeutig die variantenreichere, nuanciertere Fassung auf, haben deshalb im Sinn der Textkritik als »lectio difficilior« zu gelten. Das gilt auch für den großgeschriebenen »Eisernen« (zu ergänzen: Bauschragen) in der Elegie *Eisen*: da alle Typoskripte diese Lesart aufweisen, kann sie kein Irrtum, kein Schreibfehler sein. Immerhin nennt die Großschreibung Stalin bzw. den Stalinismus direkt beim Namen; keine Kleinigkeit also. Indem die vorliegende Edition die Abweichungen zwischen Typoskripten (Handschriften gibt es nicht) und Drucken überprüft und »gewogen« hat, präsentiert sie – das ist ihr drittes Kennzeichen – die Gedichte erstmals »fehlerfrei«, das heißt in der Fassung, die sich direkt auf Brechts (letzten) Willen berufen kann.

Die Kommentare orientieren sich an der klassischen Kommentierung Brechts durch Walter Benjamin, ohne beanspruchen zu wollen und zu können, mit ihnen in Konkurrenz zu treten. Sie teilen weder Stil noch Form mit dem großen Vorbild, sie haben vielmehr den gleichen Ansatzpunkt: die Klassizität des Textes und das damit verbundene Vorurteil, die Stirne zu bieten – in vieler Hinsicht. Versucht ist, eine gewisse Summe der – inzwischen ausufernden – Forschung zu ziehen; dies aber nicht durch Referat und gar Einstig in die Kontroversen, sondern als Anstoß zum Selbst-Lesen und Selbst-Entdecken, als Versuch, das scheinbar einfache Gedicht zu *seiner* Sprache zu bringen. Wenn ein Kommentar dies erreicht, so hat er seinen vornehmsten Zweck erfüllt: sich überflüssig zu machen vor seinem Gedicht.

Inhalt

Bertolt Brecht
im Suhrkamp Verlag und
im Insel Verlag

Einzelausgaben

Bertolt Brecht
im Suhrkamp Verlag und
im Insel Verlag

Bertolt Brecht
im Suhrkamp Verlag und
im Insel Verlag

Bertolt Brechts Hauspostille. Mit Anleitungen, Gesangsnoten und einem Anhange. BS 4 und st 2152

100 Gedichte. Ausgewählt von Siegfried Unseld. st 2800

Liebesgedichte. Ausgewählt von Elisabeth Hauptmann. IB 852

Das große Brecht-Liederbuch. Herausgegeben und kommentiert von Fritz Hennenberg. st 1216

Über Verführung. Gedichte. Mit Radierungen von Pablo Picasso. Zusammengestellt von Günter Berg. Gebunden

Prosa

Dreigroschenroman. es 184 (Prosa 3), st 1846 und st 2804

Flüchtlingsgespräche. st 1793

Flüchtlingsgespräche. Erweiterte Ausgabe. BS 1274

Die Geschäfte des Herrn Julius Caesar. Romanfragment. es 332

Geschichten vom Herrn Keuner. st 16 und Insel-Clip 21

Me-ti, Buch der Wendungen. BS 228

Die unwürdige Greisin und andere Geschichten. Zusammengestellt und mit Anmerkungen versehen von Wolfgang Jeske. st 1746

Die unwürdige Greisin und andere Geschichten. Herausgegeben von Wolfgang Jeske. Großdruck. it 2371

Schriften

Dialoge aus dem Messingkauf. BS 140

Politische Schriften. Ausgewählt von Werner Hecht. BS 242

Schriften zum Theater. Über eine nicht-aristotelische Dramatik. Zusammengestellt von Siegfried Unseld. BS 41

Über die bildenden Künste. Herausgegeben von Jost Hermand. es 691

Über experimentelles Theater. Herausgegeben von Werner Hecht. es 377

Brecht-Lesebücher

Brecht für Anfänger und Fortgeschrittene. Ein Lesebuch. Ausgewählt von Siegfried Unseld. Mit einem Vorwort von Hans Mayer. es 1826

Ich bin aus den schwarzen Wäldern. Seine Anfänge in Augsburg und München. 1913-1924. es 1832

Der Schnaps ist in die Toiletten geflossen. Seine Erfolge in Berlin. 1924 bis 1933. es 1833

Unterm dänischen Strohdach. Sein Exil in Skandinavien. 1933-1941. es 1834

11/3/6.97

Bertolt Brecht
im Suhrkamp Verlag und
im Insel Verlag

11/4/6.97

Bertolt Brecht
im Suhrkamp Verlag und
im Insel Verlag

11/6/6.97

edition suhrkamp
Eine Auswahl

edition suhrkamp
Eine Auswahl

edition suhrkamp
Eine Auswahl

edition suhrkamp
Eine Auswahl

edition suhrkamp
Eine Auswahl

edition suhrkamp
Eine Auswahl

edition suhrkamp
Eine Auswahl

edition suhrkamp
Eine Auswahl